モグ

モグ

モグ

ポリ

((ポリ))

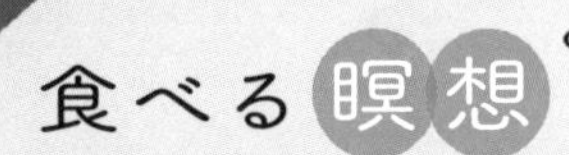

食べる瞑想 Zen Eating のすすめ

世界が認めた幸せな食べ方

ももえ

笠間書院

プロローグ

食べ方が変わると、人生も変わる

食べる瞑想、Zen Eatingで幸せに

「こんなに深く味わったことなかった！」

「毎日の食事と同じ物を食べたはずなのに、新しい発見ばかりで驚き」

「自分の体のことなのに、知らないことばかりだと気づいた」

「食事でこんなに心が調（ととの）うのか！　体の栄養補給のためだけに食事をするのはもったいない」

「あ〜幸せ！　生きてるって喜びですね！」

「地球とのつながりを感じた」
「たった一回の食事で人生が変わった」
私が開催するＺｅｎ Ｅａｔｉｎｇ®（ゼン・イーティング）のワークショップ（体験会）ではこんな言葉が飛び交います。

本書のテーマである**食べる瞑想Ｚｅｎ Ｅａｔｉｎｇは、瞑想を土台にした心が調う食べ方**です。

これまで、Ｚｅｎ Ｅａｔｉｎｇのワークショップは、三井物産、パナソニック、富士通といったコンサルや商社、ＩＴなど国内外の大手企業で社内研修などに導入され、日本をはじめ、アメリカ、イギリス、フランス、シンガポール、オーストラリア、中国など世界三十カ国、二二〇〇名以上の方々に、「食べることを通して心が調う」体験をしていただきました。

禅や瞑想という言葉から、「断食みたいなストイックな食事方法を実践するの？」

「精進料理やベジタリアン食のことかな？」と思った方もいるかもしれませんが、修行のような食事術でも、健康を目指した食事制限でもありません。

Zen Eatingでは「何を食べるか」よりも「どう食べるか」を重視します。「どう食べるか」を重視するというのは、食べる場を整えたり、五感やおなかなど体の感覚に意識を向けたり、食べながら命の循環を感じたりと、食べるときの意識を変えてみるということです。

五感やおなかの感覚など、都市の暮らしで眠りがちな**「体が本来持つ豊かな感覚」を目覚めさせることで喜び**を感じやすくなります。**食材とのつながりに思いを馳せることで安心感**が高まります。すると、**日常の暮らし、生活全般において「豊かだ。恵まれている」と感じる**ことが増えます。

食や人生の悩みを抱える人へ

これまでZen Eatingを体験した方々はこんな変化を実感しています。

医療機器メーカーの管理職でアメリカの都市部に住むある女性は、ダイエットを次々と試してはリバウンドして罪悪感を抱えていました。

「仕事から帰宅したらテレビを見ながらヨーグルト1箱を知らぬ間に食べきってしまっているの。ロボットのように食べ続けてしまう。そんな自分が嫌だ……」と言いました。

そんな彼女は初めてZen Eatingを体験したとき、「キャリアや生活水準を維持することに対する長年の心の緊張がほぐれた」と涙を流しました。

「人生が変わりました。今まで考えたこともない切り口で食べることを楽しめているし、五感を豊かに使うと、いつもの食べ物でこんなにおいしさと幸せを味わえるということを知りました。ストレスが原因だった過度な食欲もおさまりました」と言います。

彼女は、ストレスを忘れるためのやけ食いが習慣になっていました。また、競争社会でヘトヘトの心にむちを打って頑張るうちに、感情や感覚にふたをしていました。食べ方を変えて、五感の豊かさや体とのつながりを取り戻したことで、罪悪感だった「食べること」が、喜びに変わったのです。

東京でフルタイムで働きながら子育てをしている方は、一年以上ワークショップに参加しています。彼女にとって**Zen Eatingは自分に戻れる至福のひととき**だそうです。Zen Eatingをした日は、仕事でもプライベートでも元気だと言います。毎日の活力の元になっているようです。

「Zen Eatingで心と体が喜ぶんです。普段は忙しさに踏みつぶされて無視されている、おなかの声に耳を傾けると、落ち着きを取り戻せます。それに加えて、Zen Eatingで鍛えた『幸せを味わう力』のおかげで、自分を信頼できるようになって、仕事や家庭の悩み事もポジティブに乗り越えられるようになっています。**平和な時間を自分で作り出す方法が身に付いた**感じがします」と言います。

また、キャリアを模索中の方にはこんな変化がありました。

「この食べ方に出会うまで、立派な自分になることを目指して必死でした。自己啓発セミナーに行って、自己分析やブランディングの本を読み漁り、成果が出せない自分に対してダメ出ししたり、自分を追い込んでいたんです。でもZen Eatingで、悟りを開いたと言っても過言ではないくらいの、心の震えがありました。『手放すと心が自由になる』と実感して、満たされた気持ちで過ごしています。人と比較することなく**自分を大切にできるようになり、のびのび生きられる**ようになりました」と言います。

- **食べる喜びを取り戻した**
- **自信や生命力を取り戻した**
- **心の重荷を手放せるようになって、生きやすくなった**

Zen Eatingを実践している人の多くがこのようなことを共通して感じてい

ます。

食べる瞑想とは、ただ静かに食べるということではなく、生き方そのものに関係してくることなのです。

他にも、こんな嬉しい変化を実感している人がいます。

◆食事時間が体だけでなく、心も満たして元気になる時間に変わった
◆いつもと同じような食べ物も、心から「おいしい！」と感じられるようになった
◆流行のダイエット法や食事療法に惑わされがちだったのが、自分に合った食習慣を決められるようになった
◆やめたいと思っていた間食や過食がおさまった
◆一人の食事も寂しさを感じなくなり、大きなつながりを感じられるようになった

食べ方を変えたことをきっかけに、暮らしや人生にも変化が起きたりします。

- 人生をよくしなければと、力(りき)んで無理するのではなく、恵みを味わえるようになる
- 幸せになりたい、成功したいという焦りからではなく、安心感を土台に生きられるようになる
- 忙しいままでも、自分を大切に、暮らしを丁寧にできる

Zen Eatingのワークショップに参加してくれた方が口々に、**「人生が明るくなった」「幸せになった」「食事で瞑想できるようになるなんて画期的」**と言ってくれるので、もっと多くの人にこの食べ方を体験して幸せを享受していただきたいと思い、本を書くことにしました。

Zen Eatingにたどり着くまで

ご挨拶が遅れました。

Zen Eatingを提供している、ももえです。

大学で禅を中心に思想や幸福について研究をした私は、新卒で大手リゾート企業に勤務し、ウェルネス部門の担当になりました。ウェルネスのブランディングから、ヨガや瞑想の指導など、お客様に癒やしとくつろぎを提供する好きな仕事ができて、毎日が充実していました。

ただ、やりがいがある一方、多忙のため心身の不調を感じるようになりました。思い切って退職し、インドに二年間移住しました。インドでは、ヨガの先生の家に住み込み、国立の学校で毎朝五時から瞑想をするなど、心も体ものんびりした日々を過ごしました。

瞑想は、私の人生を平和にしてくれました。思い通りにいかないことに直面したとき、自分の性格が穏やかになったと特に感じます。

例えば、電車が大幅に遅延したり、買ったばかりの調味料を床にこぼしてしまったり、人にお願いしたつもりが伝わってなかったり、約束を忘れられてしまったり……。

以前は不機嫌になっていたような、ガッカリする場面で「そういう日もあるよね」と笑えるようになりました。意識が変わって、自分に都合のいいことも、嬉しくないことも明るく受け止められるようになりました。

瞑想には、脳神経科学分野でも**ストレスの低減効果があることが証明されていたり、精神回復力が付く、集中力、創造力、共感力が上がる**などの効果についても、アメリカの有名大学で研究が進んでいると後になって知りました。

しかし、瞑想のよさを実感していた私も、帰国後、東京で会社勤めの生活に戻ると、瞑想を続けることができなくなってしまいました。インドに住んでいた頃のように何十分も瞑想をする時間がなかったからです。

ですが、瞑想のための時間を確保する余裕がないときも、「いただきます」のときに、目を閉じたり、スマートフォン（以下、スマホ）を置いてハーブティの香りをかぎながら飲むだけで心が落ち着いて、**まるで瞑想をしたかのような心の落ち着きを得られる**

ことがありました。「あぐらをかいて、瞑想の姿勢を取らなくても『瞑想的』に過ごせば、心は調う！」と気づいたのです。

そのとき「坐禅だけでなく日々のすべての行いが心を磨く」という禅の考え方を思い出しました。そしてそれまで料理を教えたり、レシピを紹介する会社で働いたりして関わってきた「食」と、私の人生を明るくしてくれた「瞑想」をかけ合わせた食べ方をＺｅｎ Ｅａｔｉｎｇと名付け、ワークショップとして企業や個人に提供し始めました。

Ｚｅｎ Ｅａｔｉｎｇという名前には、悩みが絶えない私を幸せにしてくれた禅へのリスペクトを込めています。禅をあえて「Ｚｅｎ」と表記しているのは、宗教としての禅のイメージに留まらず、海外の方が初めて禅に触れるような新鮮な感覚で禅に出会ってほしいという気持ちがあります。

禅には肩の重荷をフッと軽くしてくれるような、幸せに生きるためのヒントがたくさんあります。食べるという身近な行為を通して、日本が育んだ禅の叡知（えいち）にも触れていただきたいと思います。

日常に瞑想を取り入れられる

Ｚｅｎ Ｅａｔｉｎｇのよさの一つは日常への取り入れやすさにあります。

あるとき、大手企業の総合職で激務をこなしながら子育てをする、東京在住の女性が個人セッションを受けに来ました。うつ病直前の疲れきった表情でした。キャリアへも体調へも不安が大きい様子でしたが、セッションを終えた後こう言いました。

「瞑想は意識高い人が好むファッションみたいなもの、もしくは堅苦しいものというイメージがあって、ハードルを感じていました。でも食べるときに体をゆるめたり、ゆっくり香りを嗅いだりしてみると、唾液がプシャーと出てきて。自分の体なのに、**感じたことない感覚がたくさんあって**驚きの連続でした。不思議ですが、メンタルを崩してから一番心が安らぎました」。

ご友人にも「今日いいことあった？　スッキリした顔してるよ！」と言われたほど、

見た目にも変化があったそうです。

読者の方の中には、これまでマインドフルネスや瞑想を体験して「眠くなってつらかった」「同じ姿勢を続けて、足のしびれや肩や腰の痛みを感じた」「退屈だった」などの理由で、好きになれなかったり、続けられなかったりしたという人もいるのではないでしょうか。

食べる瞑想Ｚｅｎ Ｅａｔｉｎｇは、食べる動作や五感への刺激があるので自然と集中できます。また、一度目は「うまくできなかった」と感じても、食べること、あるいは飲むことを瞑想にすることで、一日に何度も試してみる機会があります。食事中にできるので「やることリスト」を増やすこともありません。

「忙しく働いているし、せっかちな性格だし、食事をゆっくり食べるのは、イライラしそうで苦手だと思っていた。でも、Ｚｅｎ Ｅａｔｉｎｇを体験して、瞑想的に食べていたら涙が知らないうちに流れていた。喜び、幸せ、慈しみの涙だった」

ある体験者の言葉で、私は**忙しい毎日の中にZen Eatingを取り入れる大切さ**に改めて気づきました。

過去にマインドフルネスや瞑想を続けようとして挫折してしまった人、効果が体感しにくいと思っている人、瞑想する時間なんてない人、そういう人にこそ、おすすめします。

五つのプログラムで、幸せな生き方を叶える

本書は、私が主催する食べる瞑想のワークショップや、継続して日常に取り入れるZen Eatingスクールという「食べる」と「瞑想」をかけ合わせた実践の場が元になっています。

本書では、食べ方にまつわる五つのプログラムを提案します。

◆プログラム1　食事で「調う」準備をする
◆プログラム2　五感で味わう
◆プログラム3　おなかで選ぶ
◆プログラム4　食べ物から「エネルギー」をもらう
◆プログラム5　「手放し」で自由になる

プログラム1は、食事の準備です。食前に「調うモード」に切り替えることで、その後の食事も自然と心が調うものになります。食事の準備ができると、プログラム2〜5で、より深い学びを得やすくなります。

プログラム2では、五感を研ぎ澄ますことで食べる喜びを取り戻します。便利で飽食な現代生活では、身体感覚は眠りがちになります。五感を使うことで、体が目覚めると、シンプルな素材の味の中にも**自分の身体感覚でおいしさを見つける**

喜びを取り戻すことができます。

五感を頼りにできるようになることが、自分の体への信頼になります。それは野生の勘、生きる元気につながります。

プログラム3では、三種類の食欲に注目します。感情のアップダウンをなだめるために食べたくなる「心由来の食欲」は、ストレス食べ、衝動食べの原因に、たくさんの健康情報を浴びることで生じる「頭由来の食欲」は、健康や美容を考えすぎて食べ物に迷う原因になります。

そこで、おなかの底から「食べたい！」と聞こえてくるような「おなか由来の食欲」に意識を向けてみましょう。食事時になったから、と自動的に食べる前に、「今、本当に食べたいですか？」と、おなかに聞く。おなかの声に耳を澄ませる。このように、おなかの声を聞く習慣が直感を育ててくれます。

「はらが決まる」という言葉がある通り、おなかで「決める」ことができると、自分の選択への納得感がグンと深まります。

プログラム4は、食材とのつながりを感じることで、食べ物からエネルギーをもらう食べ方です。**食べ物をサプリのようにみなすと、体の栄養にしかなりませんが、「命をいただいている」という視点を持つと、心も満たされます。**野菜やお米などの食材がたどった道のりに思いを馳せながらいただきます。大きなつながりの中で生かされている安心感に包まれるでしょう。

プログラム5は「手放し」を行います。今までの人生で得た価値観、常識、自分で引いた枠や思い込みを手放してみましょう。人生が軽やかになります。一生懸命手に入れたものを手放すのは怖い、もったいない、寂しいと感じるかもしれませんが、一度**手放してみることで、新しい可能性が生まれるものです。**

本書は「体験のガイド」

本書は食べ方の教科書ではなく、感覚の扉を一緒に開くガイド、あるいは冒険隊長のようなものだと思ってください。

ワークの中で、手順やポイントの説明がありますが、それらは「指示」ではありません。「こんなふうに食べると眠っていた生命力が引き出されたり、好奇心が膨らんだりしませんか？」という問いかけです。

私の禅の先生は、「真剣に深く遊ぶ。遊びに夢中な子どものように真剣だからおもしろい」と言います。遊び心が大事です。書いてある通りでなくても、自分にとって心地よいやり方に応用して構いません。

ワークショップの参加者は「自分の知らなかった感覚を発見する喜びが、まるで旅行みたい。一年続けても、まだ新しい自分と出会うから好奇心がやまない。仕事から、子育て、読書まで味わいつくせるようになったのもZen Eatingを続けた変化。

人生全般において「味わう」ことが上手になった！」と言います。

「冷暖自知」という禅語があります。水は見るだけでは、熱いか冷たいかわからない、触ってみて初めてわかる、という意味です。

まずは一つワークに取り組んでみましょう。頭で読んだだけでは、「知識」に留まってしまうかもしれませんが、実践すると腹落ちして「身に」付くことを感じていただけると思います。

本書のワークには「ちょっとやってみよう」と「じっくりやってみよう」があります。

「ちょっとやってみよう」では、**気軽に日常で取り入れやすいテクニック**をご紹介しています。

「じっくりやってみよう」は、一度時間を取って集中してZen Eatingの世界に浸りきることをおすすめします。そうすることで**深い至福の瞑想体験となり、心の落ち着きや喜びの根をじっくり伸ばす**ことができます。

また、ワークに集中できるよう、一部には音声ガイドを付けています。ワーク本文末尾のQRコードからお聴きください。

本書を通して、食べる度に心が調うだけでなく、「幸せの味わい」上手になれるはずです。

さあ、食卓から人生の幸せの扉を開きましょう。

プロローグ

プログラム1 食事で「調う」準備をする

プログラム 2
五感で味わう

プログラム 3
おなかで選ぶ

プログラム4
食べ物から「エネルギー」をもらう

プログラム 5

「手放し」で自由になる

プログラム1

食事で「調う」準備をする

いつもの食事を振り返ろう

食事休憩をしたのに疲れていたら要注意

食事は私たちに元気を与えてくれるものです。ところが、実際にはあれこれと忙しくて、リラックスの時間になっていないことがよくあります。

ワークショップの参加者の方からも**「急いで食事をすることが多く、なんだか満たされない感じがする」という悩み**をよく聞きます。みなさんの話を聞くと、食べ方にその原因があるようです。

ワークショップを、オンラインで開催したときのことです。各人、普段食べている物や丁寧に食べたい物を用意して、自宅からビデオ通話で参加してもらいました。

参加者の中にカリフォルニア在住のハリウッド映画関係者がいました。彼が持ってきたのは、ブリトーという片手で持てる小さなクレープのような軽食です。

そのメニューを選んだ理由を聞いたら、「いつもホットドックやブリトーなど、片手で食べられる物をランチにしているんだ！」と言います。パソコンを閉じてランチを食べることはほとんどないそうです。

彼の話を聞いて、私は数年前の自分の食生活を思い出しました。

私も会社員だった頃、休憩時間にランチをかき込むように食べたり、「ながら食べ」をしたりしていました。まるで「えさ」をむさぼるような食べ方になっていたと思います。

多忙だった当時、私にとって食べ物は単なる栄養補給のツールでした。「食事時間はできるだけ削りたい。最小の時間で最大限健康な食事ができたらよい」と考えていました。

机の上にパソコンを開いたまま、資料を端に寄せて食事をしていた私。なるべく机を汚さないように食べて、汁が飛んだら汚したところだけをティッシュで拭いていました。

机の上は「食卓」というより「作業台」の状態なので、頭や心は仕事の緊張モードのまま、バタバタと食事を始めて、バタバタと終わってしまいます。そんな食べ方だったので、**食事休憩をしても疲れは取れない**ままでした。

普段の食事を思い返してみてください。

例えば、こんなふうに、食事に意識が集中しないまま「ながら食べ」をした経験はありませんか？

- **スマホで動画やSNSを見ながら食べる**
- **パソコンでメールを返しながら食べる**

- テレビを見ながら食べる
- 不満や愚痴を言い合いながら食べる
- 会議をしながら食べる
- 次の予定を確認しながら急いでかき込む

思い当たる節があるのではないでしょうか。とは言え、自分の食べ方を変えたいと思っていても、すでに習慣化して「快適」に感じている食べ方をやめたくない、やめられる気がしない……と諦めてしまっている人は多いものです。

きちんとしようとすると面倒になってしまいます。このプログラムで心地よいと感じた一部分を生活に取り入れるだけでも十分意味はあります。

食事の前に「調うモード」へ切り替える

プログラム1では、食事の準備についてお伝えします。食前にモードを切り替えることで、その後の食事が自然と心が調うものになります。

私たちの心と体には、仕事のときは緊張モード、お休みのときはリラックスモード、瞑想やヨガをするときは調うモードなどいろいろなモードがあります。モードとは、ある場面で、緊張している、リラックスしている、といった「心の状態」や、眉間にしわが寄る、肩の力が抜けているといった「体の状態」です。

その時々の行動には、適したモードがあります。例えば、緊張したままで寝ても疲れが取れなかったり、リラックスモードで勉強しても頭に入ってこなかったりしますよね。モードは工夫をすることで意識的に切り替えることができます。**取り組んでいる行動に合ったモードにうまく切り替えて過ごしたい**ものです。

普段「食べる」とき、どんなモードでしょうか?

私は一日中考え事をして仕事の緊張モードのまま過ごしてしまいがちです。無自覚のまま「十三時から打ち合わせだから15分で食べ終えて、ああ!　でも服も着替えたいし資料も最終確認したい〜」と頭で段取りをしながら、スマホを片手に食べてしまうこともあります。

Ｚｅｎ Ｅａｔｉｎｇでは、食事のときは、調うモードに切り替えることをおすすめしています。**モードを切り替えてから食べ始めることで、食事が「えさをむさぼる」時間ではなく、「心が調う」、いわば瞑想の時間に**なります。

調うモードに切り替わると、自然と考え事が鎮まり、こんなふうに食べたくなります。

- **食事が楽しみになり、ワクワクしてくる**
- **肉食獣のようにがっつかなくなり、丁寧な所作で食べたくなる**
- **食べ物や命に対して、ありがたいという気持ちが湧く**

つまり、**「調えよう！」と頑張らなくても調う**のです。

「ひと呼吸」で食事を変えよう

これから、「調うモード」に切り替える方法を三つご紹介します。一つ目は食べる前に「ひと呼吸」おくこと、二つ目は「場」をつくること、三つ目は「リズム」を変えることです。

では、まず、食前の「ひと呼吸」から始めましょう。

普段と違う自分になれる

私が学生時代に通っていた茶道教室での話です。

茶道教室は、茶室に向かうとき、お庭の小道を通る造りになっていました。苔むした飛び石と紅葉のこもれびが、風情をかもし出すお庭でした。私はお庭を歩くとき、習慣にしていたことがあります。それは、上着を脱ぎ、服のほこりを払い、スマホの電源を切ること。

そのひと呼吸で、お庭を通り抜けて玄関に着いたときには、落ち着いた振る舞いが自然と出てきます。

例えば、靴を揃えるときは膝を床に付けて、挨拶はごきげんように、指先を揃えて茶器を持つ。上品にしようと心がけなくても、このように「丁寧な所作が一番心地よい」と感じる人間になっていました。玄関にたどり着くまでに、**日常の忙しいモードの自分から、調うモードの自分に切り替わり、まるでお庭で魔法にかかったような気分**になったものです。

お庭を歩くという「ひと呼吸」がモードを切り替えてくれました。

お茶の世界では、この茶室に通じるお庭に特別な名前が付いていて、「露地」と呼ばれます。露地は外の俗世界と茶室のあわい（あわい：物と物の間。二つの物の曖昧(あいまい)なつながりの部分）だと、茶道を完成させ、日本一の茶人と言われた千利休も歌にしています。

あわいを一歩ずつ進む間に、頭も心も茶道の準備をするのでしょう。

Ｚｅｎ Ｅａｔｉｎｇでも、食事の準備として「ひと呼吸」おくことを大切にしています。

「調うモード」で食事をするために、食前に「ひと呼吸」おいてみましょう。食卓に座ってからの、ほんの数秒でできるワークです。食べる物がなくてもできるので試してみてください。

ワーク1・食前の「ひと呼吸」で調うモードをつくる

＼ちょっとやってみよう／

まず、スマホをマナーモードにするか、電源を切って、引き出しやかばんの中など見えないところにしまいましょう。

食事を机に並べ、椅子か床に楽な姿勢で座ります。

体に軽く手を触れましょう。
あごの付け根からのど、食道、おなか。
手で触れると体がゆるみます。
胸の前で手を合わせて、目を閉じましょう。
感謝の気持ちを込めて「いただきます」と言います。

音声ガイドはこちらから

食前のひと呼吸

あご、のど、おなかに触れると体がゆるむ。
「ひと呼吸」で調うモードに切り替わったら、
「いただきます」と声に出そう。

実際に体を動かしてみると、不思議と心が静かになると思います。このたった「ひと呼吸」が意外と大切です。**「ひと呼吸」によって「これから食事だぞ」と、心が調う準備を始めて**くれます。席に着いた途端にお箸に手を伸ばして、「いっただきまーす！」とガツガツ食べ始めそうになったら、思い出してくださいね。

ワークをすべてできないときも、スマホを食卓から見えないところにしまう、あるいは食卓に向かいながらワークの一部をやってみるなど、すぐにできる方法に応用してもよいでしょう。

食事のための「場」をつくろう

私たちのモードは、「場」からも影響を受けて変化します。例えば、高級旅館。ゆったりとした音楽が流れる優しい照明のロビーに足を踏み入れたら、リラックスのモードになりますよね。あるいは混雑した駅で、ザワザワした落ち着かないモードになった、なんていう経験もあるでしょう。私たちは無意識のうちに場の影響を受けて生活しています。

机を作業場から食卓にする

Zen Eatingでは「調うモード」で食事をするために、食事の前に机の上を拭くことをおすすめしています。机を拭くと、机の上が作業台から食卓になります。**食事の場づくりをすることで、食事が忙しいモードで「えさをむさぼって疲れる」時間から、「調う」時間に**変わります。

以前、禅寺で精進料理を食べる体験会に参加し、修行中のお坊さんと同じ食べ方を体験しました。お部屋の設えも修行道場とそっくりで、食事は、畳の高さにある板の間でします。

特に印象深かったのは、お坊さんが板の間を拭いたことによって、ただの板が「食卓」に変わったことです。お坊さんは両手で台拭きを板の間に当てて、力強く拭きました。魂がこもった拭き方だったので、その一瞬で場の空気が変わるのがわかりました。「これから食べ始めるんだ！」と食べ物をいただくことに意識が集中したと同時に、周りの参加者の背筋も伸びた気配を感じました。


帰宅してお坊さんの真似をしてみたら、自宅でも禅寺と同じように、机を拭くことで「調うモードで食事ができる場」をつくることができました。休日になまけモードでダラダラ過ごしていたときはシャキッと集中して食べられて、仕事のときは緊張モードがゆるみ、リラックスしてから食事を始められました。

すると、背筋が伸びたり、食器をまっすぐ置きたくなったり、お箸置きを使いたくなったり、食べ物に感謝が湧いたり、と気分が変化します。あんなに手放せなかったスマホやパソコンを置く気にもなりません。

食卓という場をつくると「食事に集中しなきゃ！」と力むことなく、自然と「丁寧に食べたい」気分になるのです。

以前は、調うモードになるためには、お寺やヨガ道場のような、専門的な設備のある施設が必要だと思い込んでいました。瞑想を目的に造られた静かで広くて、緑や光が気持ちのよい場所だから調うモードになれるんだと。だから、家や職場で「調うモード」に切り替えて食事をするのは難しいと思っていました。

それでもなんとか頑張って調うモードに切り替えようと、家では川の音のBGMをかけて雰囲気を演出したり、職場では目を閉じて「今、私は山に居る」と想像しながら瞑想したり、いろいろ試しました。でも、頑張りすぎて逆に疲れて、日常の中で心を調えることを諦めていました。

ところが、**自宅のテーブルでも、小さなデスクでさえも、机を拭くことで、調うモードで食事ができる場になった**のです。嬉しかったのと同時に「な〜んだ。こんなに簡単なことなら、私でも続けられる！」と気持ちが楽になりました。

調うモードで食事をすると、心も満たされます。疲れている日、心が乱れている日、余裕がない日、頭が忙しい日、やる気が出ない日、ボーッとしてしまう日こそ、机を拭いて食事の場をつくってから食事を始めることをおすすめしたいです。

机を拭く以外にも、こんなこともやってみると、調うモードで食事ができる場になるでしょう。

- **ランチョンマットをひく**
- **お箸置きを用意する**
- **食器を真っすぐに置く、きれいに並べる**
- **椅子を机の真正面に置き、机に引き寄せて近づける**

自分に合った場のつくり方を見つけてみるのも楽しいですよ。

「リズム」でモードを切り替えよう

体で新しいリズムを感じる

モードの切り替えをスムーズにしてくれるのが、体に新しいリズムを与えることです。

ゆったりした音楽を聞くと眠くなったり、スキップをすると胸が躍ったりという経験はありませんか？

デスクワークの人だったら、仕事中に指先でカタカタとパソコンをタイプするリズムが、仕事の緊張モードをつくっているかもしれません。動画を見続けてしまうような、なまけモードは、スマホ画面をたまにタップする、タラタラとしたリズムから来ていたりします。

「調うモード」に切り替えるには、体にそれまでと別のリズムを与えることがおすすめです。

実は、先ほどお伝えした露地を歩いたり、ひと呼吸おいたり、机を拭いたりすることは、体のリズムが変化するきっかけになっていたのです。

露地には飛び石があります。コンクリートの道を歩くスタスタという歩調のままでは、飛び石の上は歩けません。不規則に並ぶ飛び石に歩幅を合わせると、トン・トトンという歩調で歩くことになります。

茶道の前に「調うモード」に切り替わったのは、普通の道を歩くときとは違うトン・トトンというリズムを足裏から感じたからでもありました。それまでとは違ったリズムを体全体で感じることで、茶室で丁寧に過ごす準備が自然とできていたのです。

机を拭くときにも、リズムが大切です。座ったまま食器やお弁当を置くところだけ除菌シートで適当にササッと拭くのではなく、禅寺のお坊さんのように静かでダイナミックに、力強いリズムで拭くとよいでしょう。

では、リズムを意識して、机を拭いてみましょう。まずは基本のリズムです。文字で読むとややこしく見えますが、やってしまえば30秒くらいのことです。

ワーク2・机をリズムよく拭く

じっくりやってみよう

机の上を何も置いていない状態にします。物があれば、両手でゆっくり机からおろしましょう。ピクニックでランチの準備をするような明るい気持ちで、台拭きを手に取ります。

水に濡らしてギュッと絞ります。

きれいに伸ばしましょう。

できれば、パンッと音を立てて大きく広げられるとよいですね。

そして、折り紙のように端を揃えてパッタンときれいにたたみましょう。


机の正面に立ちます。二本の足にしっかり体重をのせます。

利き手に台拭きを持ったら、机の上端に当てて、五本の指を揃えましょう。


右手で持った場合、机の左上から右上へ真横に拭きます。

息を吐きながら、ひじを曲げて少し圧力をかけて。

右上でひじが伸びきったら、台拭きでギュッと押さえるように止めます。

台拭きの位置を一段手前に移動して、スーッと腕を動かして左に戻ってきます。手先や腕だけでなく、大きくストレッチするようなイメージで、体全体を伸びやかに使って拭きましょう。

おなかにも刺激が伝わるような、体全体を使う拭き方をしたいですね。

左右に行って戻ってを繰り返して隙間なく拭きます。

机が大きい場合は、腕だけを伸ばしてヒョイヒョイと端を適当に拭いたりせず、立ち位置を移動して、体の正面で拭くようにしましょう。

机の側面もスイスイッと軽く拭いてもいいですね。

体の奥にいろんなリズムが伝わってきませんか？

拭き終えたら止まって、きれいになった机を静かに眺めましょう。

どんな感覚がありますか？

全身を使った拭き方をすると、はっきりとモードが切り替わることを感じるはずです。新しいリズムを感じたら、いよいよ食事を始めましょう。

音声ガイドはこちらから

机をリズムよく拭く

両足は地面を力強く踏んばる。
体の正面に台拭きを置いて、全身
を伸びやかに使って楽しく拭こう。

リズムをきっかけにしたモードの切り替えは、机を拭く以外でもできます。盛り付ける手元の動きを優雅にする、食事を運ぶ足どりをゆったりする、などは家で気軽にできますね。

外食で机を拭きにくいときは、レストランに向かうときにのびやかに明るく歩いたり、モードの切り替えを意識して手を洗ったりすることでも、リズムの変化で「調うモード」に切り替わることを感じるでしょう。

日常生活でモードを意識してみる

モードの切り替えは食事以外でも役立ちます。日常のちょっとした場面で、ひと呼吸をおいたり、場づくりをしたり、リズムを変えたりしてみましょう。

●一日の始まりに

一日の始まりに心地よいリズムを取り入れてみましょう。

- 朝起きたらカーテンを開けて陽を浴びる
- 窓を開けて風にあたる
- 植物に水をあげる
- お白湯を沸かす

腕を伸ばしたり、立ったりしゃがんだりと、体を大きく使ってゆったり動くのがポイントです。体全体に振動が伝わるような動きをすることで、体が新しいリズムを感じて、モードが切り替わりやすくなります。

●仕事を始める前に

集中したいときや仕事の前は、場づくりをしてから始めるとよいでしょう。ランチの後、午後の業務が始まる前などにも応用できます。

- デスクで食事をしたら、食後にデスクの上を拭く
- 作業に関係のない物は、デスクから下ろす
- スマホの電源を切って仕事を始める

どんな場をつくると、行動に合ったモードが発揮されやすいかは、人によって違います。本領を発揮しやすいモードづくりのために、他にはどんなことができそうかも探してみましょう。

●就寝前に

夜の「ひと呼吸」が、よりよい睡眠につながります。

- 寝る準備をする前に照明を暗くする
- 翌日の支度を終える
- 翌日やることを書き出す

◆スマホの電源を切る

夕飯の時間や寝る前に温かい物を飲むときに、プログラム２以降で紹介する味わい方をやってみてもよいでしょう。

仕事や考え事をするときの緊張モードのまま就寝すると寝付きが悪くなったり、眠りが浅くなることもあるので、「ひと呼吸」をおいてから寝たいものですね。

- 調うモードに切り替えて食べ始める
- 食べる前に「ひと呼吸」おく
- 机を拭いて、「場」を整える、リズムを変える
- 食事以外でも、モードの切り替えを意識してみる
- 自分に合ったモードの切り替え方を探してみる

プログラム2

五感で味わう

冬眠状態の体を起こそう

五感を使うと食事はもっとおいしくなる

プログラム1では、「調うモード」で食事をする準備ができました。

次は一歩進んで、「味わう」に注目します。五感を研ぎ澄ますことで、食べる喜びを取り戻しましょう。

物質的に満たされた現代社会は、あらゆる**食べ物に付加価値が付いていて、食べ物自体より情報の方を味わってしまいやすい環境**ではないでしょうか。しかし、情報ばかりを味わっていると「何を食べても満足できない、さほど感動しない」という悩みにつながります。

そんなとき、**五感を使って味わうことができれば、おいしいと感動する機会がグッと増えます**。「五感なんていつも使っているよ！」とほとんどの人が思うかもしれませんが、そんなに使えていなくても気付きにくいものです。もっともっと五感は豊かに使えるのです。

例えばこんなことはありませんか？

- **昨日の夕飯のメニューは思い出せるけれど、味や香りの記憶はぼんやりしている**
- **薄味だと物足りない、食べた気がしない**
- **サラダはそのままでは味がしなくて食べにくいので、必ずドレッシングをかける**
- **おしゃれなカフェや外食では、写真を撮ることに夢中になって味わっていない**
- **ほとんど噛まずに飲み込むことが多いので、歯ざわりや舌ざわりを気にしていない**

こうした食べ方をしているとき、五感は使えていてもほんの一部です。

本来、私たちには豊かな感覚が備わっていますが、快適な現代の生活では**感覚を頼ることは少なく、冬眠状態**になっています。五感を意識しながら食べることで、眠っている体の感覚を起こしましょう。

本当に味わっていますか？

味わっているのは「記憶」だけ？

こんな経験はないでしょうか？

仕事帰りに寄ったコンビニで、明日食べようと思ってなんとなくポテトチップスを買う。家に着いたらテレビをつけて無造作にポテトチップスの袋をあけて食べ始める。画面に集中したままもう一枚と手を伸ばしているうちに、「あれ？」と気付いたら一袋食べ終わっていた。

これ、実は私の話なのですが、そのとき食べ終えてから、食べたという実感がなかったこと、全然味わっていなかったことに驚きました。

食べ慣れた味や香り、食感に、体が油断していたのです。いつも同じ配合の調味料がまぶしてあるから、味も濃さも香りも厚さもいつもと同じはず。「いつものあの匂い、あの味、あの食感、あの音」が保証されているとわかっているから、「しょっぱいかな？　硬いかな？」と注意を払う必要がない。気付いたら五感を使わずに食べてしまっていました。

私が食べていたのは、**口に入っているポテトチップスではなく、「いつものおいしさ」という記憶の中のポテトチップス**だったのです。

このような心ここにあらずな食べ方では、今、目の前にある食事を味わえていないと思います。**おいしい物が溢れる時代だからこそ、Zen Eatingでは今の瞬間、五感に集中して体で味わう喜び**を提案しています。

それは何か新しいことを学ぶのではなく、冬眠している五感を目覚めさせることなのです。

味わっているのは「商品情報」だけ？

家の外で食べるときも、五感を十分に使えていない場面はよくあるのではないでしょうか。

私の場合は、カフェで「グアテマラ産の珍しい品種のコーヒー豆を使っています」と聞いて、グアテマラについてスマホで調べていたら、香りも嗅がずに飲みきってしまったこともあれば、ＳＮＳで見た流行のお店に行き「かわいい盛り付け！　きれいな器！」と写真撮影に夢中になって料理が冷めてしまったこともあります。旅行中にガイドブックで高評価の飲食店を制覇しようとして、初めは楽しかったのに途中からノルマに追われるような気分になって疲れてしまったこともありました。

そんなとき「おいしいおいしい」と反射的に言っているだけで、実際には味わえていないものです。私が**おいしいと思っていたのは、食べ物そのものではなく、ブランド、流行、限定、などの誰かがおいしいと保証してくれた情報**でした。目の前の食べ物が持っている**本当のおいしさを味わい損ねていた**のです。思考停止ならぬ、感覚停止状態。そうなると、「おいしい」の幅もどんどん狭まっていきます。

星付きレストランによく行く方がZen Eatingを体験して、こう言いました。「今までは、おいしくないと思ったらシェフに怒っていた。でも受け取り手である私が味わい上手になれば、もっといろんな物がおいしいと感じられるんだ！」と。

この方はそれまで、高級、希少などの情報によって「おいしい」と感じていたのでしょう。自分の五感で味わえるようになり、情報に頼らなくても食事をおいしいと感じられるようになったのです。

食べ物に関して次のような頭に訴えかけてくる「おいしい」情報に接したときは特に、頭だけでなく自分の五感を使って味わうことを意識してみてはいかがでしょう。

- **高級食材を使った珍しい料理**
- **日本初上陸のお菓子**
- **今年流行のメニュー**
- **季節限定の商品**
- **テレビやSNSで話題のレストラン**

誰かに用意されて感じる「おいしい」ではなく、自分の体で「おいしい」を見つける喜びを取り戻しましょう。情報を消費するような食べ方に気が付いたら、立ち止まってこのプログラムを実践してみてください。**体でおいしさを感じる力が育つと、喜びや幸せに対する感度も高まる**はずです。

五感を最大限に使って味わおう

五感一つ一つをとことん深める

ここからは、五感を最大限に使って自分の体で味わう実践です。

まずは、いつもの食事をじっくりと、五口だけ味わいます。一口ごとに、一つの感覚に注目します。五口分のワークをすべて実践しなくても、気になった一口分のワークだけ試しても構いません。スマホの電源を切って静かに味わい、**記憶や情報に振り回される自分から、本来の自分に戻る時間**を過ごしてみてください。

ワーク0・五感を目覚めさせる準備をしよう

「考える」を休んで「感じる」

ワークを始める前にお伝えしたいことがあります。

五感に集中しながらも、考え事が始まってしまうことはよくあります。例えば味覚に注目しているうちに「そう言えば、最近甘い物を食べすぎかなぁ」といつのまにか考え事をしてしまったり、「この後の予定は何だっけ?」と全く関係ないことが浮かんできてしまったり。

「考える」になっていることに気が付いたら、少しほほえんでみましょう。考え事に巻き込まれずに、「あ、私考え事してる」と落ち着いて自分を観察します。それから、考え事をおいて、「感じる」に戻ります。「香りを感じる」「味を感じる」と今、感じていることの観察です。五感は「考える」から「感じる」に私たちを引き戻してくれる味方です。「雑念が湧いたら失敗」と気を張らずに、「考える」に行ったときは、五感を研ぎ澄ませることで、「感じる」に戻ってくる、と心がけましょう。

食事について

ワークでは食事を用意してもらいますが、特別な物を用意する必要はありません。ごはんと煮物や炒め物、うどん、パスタなどの料理や、クッキーやおせんべいなどのおやつを用意してもいいでしょう。すぐに溶けてなくなる液体状の物ではなく、少し噛み応えのある食べ物がおすすめです。器に移して食べると香りや温度を感じやすいですが、分けるのが難しいお弁当箱やワンプレートはそのままでも大丈夫です。

また、本書を通じて指定がない場合は、お箸で食べることを想定していますが、洋食器や手で食べる物でもワークは取り組めます。

食事中に水を飲む習慣がある方は、このワークの最中は水を飲むのを休んでみてください。後味をより豊かに感じられますよ。

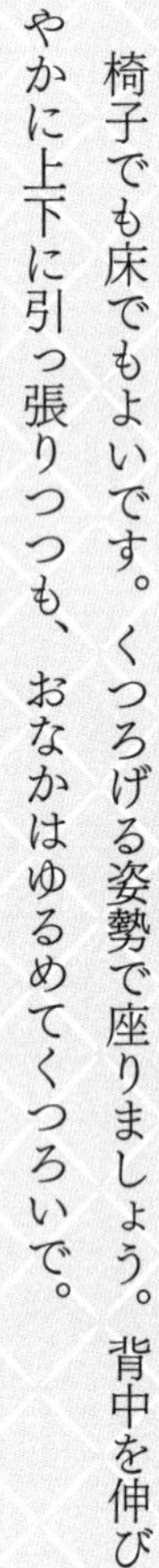

姿勢について

椅子でも床でもよいです。くつろげる姿勢で座りましょう。背中を伸びやかに上下に引っ張りつつも、おなかはゆるめてくつろいで。

基本の姿勢

椅子の場合：両足の裏を地面に着けよう。

床の場合：あぐらや正座などくつろげる姿勢で、左右のおしりに均等に体重がかかるように座ろう。

肩を降ろして力みを抜いて。

右手を下、左手を上に重ねて親指を合わせる坐禅の手だと心が落ち着く。

指、腕、肩に力みがなく、リラックスできていることが大切。

五感を目覚めさせる

実は、この段階ではあえて使わない感覚が五感のうち一つあります。視覚です。目は普段、常に働いているからです。私たちは情報の八割を視覚から得ていると言われています。スマホの画面を見ている時間が増えて、さらに視覚偏重の傾向が高まっています。

まずは目を休めることで、他の四つの感覚を活性化させます。食べ物を口に入れた後は、目を閉じましょう。嗅覚↓味覚↓触覚↓聴覚の順で一口ずつ味わっていきます。

●一口目：嗅覚

突然ですが、普段、食べるときどのように嗅覚を使っているでしょうか？

◆食べるときに香りを嗅がない
◆焼き芋や焼き魚の香りなど、漂ってくるほど強い香りのときしか嗅覚の出番がない
◆香りを嗅ぐことがあっても食べる前だけのような気がする
◆温かい物は香りを嗅ぐけれど、冷たい食べ物の香りは嗅がない

自然と鼻に届く匂いには敏感でも、自分から香りを感じようとすることはあまりないのではないでしょうか。先ほどのポテトチップスの話のように記憶に頼って、あるいは「○○風味」などの商品情報に頼って、香りを感じた気になっていることもあるかもしれません。

Ｚｅｎ Ｅａｔｉｎｇでは、嗅覚は五感のスイッチを入れてくれるものとして大切にしています。嗅覚を目覚めさせて、豊かな感性の一歩を踏み出しましょう。

ワーク1・嗅覚を目覚めさせる

じっくりやってみよう

食事とお箸を並べて、椅子に座ります。
一口目です。

口に入れる前に、いろいろな方法で香りを嗅いでみます。
料理を器ごと鼻に寄せて嗅ぐとどうですか？
再び少し離して嗅ぐとどうでしょう？
いくつかおかずがある場合は、食べるおかずを一つ選んで、一口分取りましょう。
ワンプレートや丼ものの料理の場合も同じように、一口分取りましょう。
料理がお皿にのっているとき、一口すくって鼻に近づけたとき。

クンクンクンと素早く息を吸って嗅いだときと、ウーンと長く息を吸って嗅いでみたとき。

比べてみると、香りの微妙な変化がありますね。

香りを嗅いでいるうちに、体にも変化があるはずです。

唾液が出てきたり、あごの付け根がキュッと反応したり、おなかがグルグルと動いたりしたら、体の食べる準備ができた合図です。

では、口に入れて噛み始めましょう。

鼻に抜ける香りがありますね。

お皿にのっている状態で嗅いでいた香りと、口の中から鼻に抜ける香りは違ったりするでしょうか。

それから、口の中から鼻に抜ける香りは、呼吸と共に感じられるはずです。

上の歯と下の歯をしっかり合わせて、舌を上あごに（口内の上部）にぴったり付けましょう。

口の中に空間がない状態です。

その状態で息を吸ったり吐いたりすると、鼻に抜ける香りが、ほとんどしないのではないでしょうか？

では、反対に、上の歯と下の歯を離して、舌も上あごから下ろします。

あごの付け根の力をゆるめましょう。

そうすると、口の中に大きな空間ができますね。

この状態で息を吸ったり吐いたりしてみましょう。

今度は、鼻に抜ける香りを強く感じるのではないでしょうか？

呼吸を自然に続けます。

引き続き、鼻に抜ける香りに注目しましょう。

息を吐くときの方が、吸うときより香りが強くなりませんか。

呼吸にともなう香りの強さの違いを感じられたら飲み込んでください。

口の中を空にしてからもう一度、クンクンと鼻で嗅いでみましょう。

食器にのった食べ物を鼻でクンクンと嗅ぐときは、息を「吸う」ときに香りを感じますね。

口の中に入れた食べ物の香りが鼻に抜けるときは息を吐いたときでした。

ちょっと不思議ですよね。


三回深呼吸をして。

いったん水を飲みましょう。

水を飲んでから、香りを嗅ぐと、また香りが変わるでしょうか。

五感の刺激の中で、香りは一番余韻が長いと思います。

余韻を味わいきってから、次の一口をいただきましょう。

豊かに香りを感じられる体に感謝をして、次の一口へどうぞ。

音声ガイドはこちらから

嗅覚のワークは、飲み物でも簡単にできるので、コーヒーやお茶、スープでも試してみてください。温かい物だとより香りを感じやすいでしょう。

急いでいるときは、鼻に抜ける香りの箇所だけやってみたり、噛みながら、お皿の上の食べ物の香りを嗅いでもいいですね。

●二口目：味覚

味覚も普段の使い方を振り返ってみましょう。

こんなこと、思いあたりませんか？

- ◆味を感じる前に飲み込んでいる
- ◆噛んでいる途中で、別の料理を口に入れている
- ◆飲み込んだ後すぐ、水などの飲み物を飲んでいる

もしこのようにおおざっぱに味わっているとしたら、味覚を目覚めさせると、食べることが各段に楽しくなります。味覚のワークでは、口の中で味が変化したり、舌だけでなく口の中全体で味を感じたりすることに注目します。

一口の中でも多彩な「味」を感じてみましょう。

ワーク2・味覚を目覚めさせる

じっくりやってみよう

二口目を取ります。
口の中にいれたら、すぐに噛まずに食べ物を舌の上に置いたままにしてみましょう。
早く噛みたいな、と思うかもしれません。
いつもと少し違う味に感じるかもしれません。
食べ物が舌の上に動かずに乗っている不思議な感覚を楽しんで。

口は閉じたまま、舌を左右に動かしてみましょう。

味を感じるのは、舌の真上だけではないですね。

舌先では甘味を、舌の側面では酸っぱさを、舌の奥や上あごでは苦みを強く感じたりしますか？

先ほど舌の上にのせて静かにしていたときと味に変化はあるでしょうか。

中から違う味が出てきたでしょうか。


今度は舌をいろいろな方向に動かしてみましょう。

食べ物が動いて、ほおの内側、歯ぐき、舌の裏に当たりますね。

口の中で味が広がっていくでしょう。

口の中のどこに触れるかによって、味が違って感じるでしょうか。

耳の手前、あごの付け根がピリピリとするかもしれません。

では、ゆっくり噛み始めましょう。

噛むとまた別の味が出てきませんか？

一回噛むごとに、あるいは唾液や他の食材と混ざり合うことで、味は変わっていきますか？

甘い、酸っぱい、苦い、しょっぱい……といろんな味を見つけられますか？


さらに解像度を上げてみましょう。

口の中のどこでどんな甘さ、酸っぱさ、苦み、しょっぱさを感じるでしょうか。

それらはどう変わっていくでしょう。

「甘いとしょっぱいのかけ合わせ」など、味の組み合わせも見つけられますか？


味の体験を掘り下げましょう。

おいしさはおでこやのどでも感じることがあります。

おでこの筋肉がほんの少し縮んだりゆるんだりして、味がおでこの方に広がる感じがするもの。

のどや胸の筋肉が縮んだりゆるんだりして、体の下の方に響くもの。

口の中だけでなく、体においしさが広がるのを感じるでしょうか。


味を存分に感じきったら、飲み込みましょう。

舌にどんな感覚が残りますか。

口の中にはどんな味が残りますか。

口の中に残る余韻を味わいきったら、幅広く味を感じられる体に感謝をして、一度、お箸を置きましょう。

音声ガイドはこちらから

●三口目：触覚

触覚は、一般的には、皮膚で触れる感覚という意味で使われることが多いですね。Zen Eatingでは、手ざわりだけでなく、舌ざわり、歯ざわり、といった体の内側で「触れる」感覚も大切にしています。

初めて食べる物でない限り、食べ物の触感にまでは注意を払わないことも多いと思います。ですが、手、唇、舌、歯、と体のどこに触れるかで質感や温度など感じ方は大きく変わります。触覚は奥深いのです。

それから、触覚は味覚や嗅覚など、五感全体に影響します。例えば、りんごも丸いまま、薄いスライス、すりおろしで印象が変わるように、同じ食べ物でも、触感が変わると、味も変化したように感じますね。

触覚が食事をより豊かにしてくれることを、次のワークを通して体感してみましょう。

ワーク3・触覚を目覚めさせる

じっくりやってみよう

三口目を取ります。

手づかみで食べられる物であれば、手で触れた硬さや滑らかさを覚えておいてください。後で、口の中で受ける印象と違いを比べましょう。器に入っている物なら、器を手で包み込んで温度を感じてみましょう。顔を近づけて、あご先やほおに当たる湯気や冷気も感じてみてください。

唇で触感を確かめながら口に入れましょう。温度や硬さ、柔らかさ、滑らかさ、ザラザラ感はどんなふうに感じますか？

すぐに噛まずに、口の中で動かして、舌、歯、ほおの内側などに食べ物が触れたときの感覚に意識を向けましょう。

舌や上あごなど、場所によって触感が違うように感じるのではないでしようか。体感する温度も場所によって違うかもしれません。舌の上ではぬるく感じるけれど、歯ぐきに当たると温かく感じたりしませんか？

今度はゆっくり噛みます。

噛みながら、歯で感じる「触感」に意識を向けましょう。

噛むごとに変化する触感もおもしろいですね。

温度の変化によって感じ方も変わるでしょうか。

飲み込むときには、食べ物がのどをつたう感覚にも意識を向けましょう。

箸や手で触れたときと、歯や舌で触れたときで、かなり変化があったのではないでしょうか。

それでは豊かな触感を感じられる体に感謝をして、次の一口に移ります。

今、柔らかい物を食べた場合は、次は固い物など、違う感覚がありそうな物を選んで比べてみるのもよいでしょう。

音声ガイドはこちらから

●四口目：聴覚

食べているとき、静かな空間で体の内側に耳を澄ませると、いろいろなハーモニーが聞こえてきます。食べながらテレビを見たり、音楽を聞いたりする習慣がある人は、いったん電源を消して、体の中から聞こえてくる音に注目してみてください。

「全身を耳にして聞く」という表現があるように、体すべてを使って聞いてみましょう。

ワーク4・聴覚を目覚めさせる

＼じっくりやってみよう／

四口目を取ります。

お箸やフォークで食べ物をすくい上げる音が聞こえますか？

熱い物なら息を吹きかけて冷ましますね。フーッという音が聞こえるはずです。


口に入れましょう。

汁気の多い物ならすする音がするのではないでしょうか。

おせんべいのような硬い物なら、前歯で噛む音も聞こえるでしょうか。

では、奥歯でゆっくり噛んでみましょう。

お漬物や歯ごたえのある物は噛むときにポリポリ、野菜はシャキシャキ、硬い物はパリパリ……と聞こえるでしょうか。

前の方の歯で噛んだり、奥の方の歯で噛んだり、噛む場所を変えると音はどう変化するでしょうか。

噛むたびに音の種類も大きさも変わります。

音が頭の内側に響くように感じるかもしれません。

骨を介して聞こえる音もあるでしょう。

歯やあごから伝わる振動を感じてみましょう。

静けさの中で、音に集中すると頭の中に響く音が華やかに感じられますね。

全身で音を聞きましょう。

噛む音と、骨を通して感じる振動が静かになったら、飲み込みましょう。

飲み込むときも音がしますね。

勢いよく「ゴクン!」と飲み込んだり、音が立たないように静かに飲み込んだり、飲み込み方の違いによる音の変化も楽しんで。

さらに耳を澄ますと、体のいろいろなところから音がしませんか。食道やおなかが鳴っているかもしれませんね。

噛んでいた音や振動の余韻も感じるでしょうか。

それでは、体に残る音の余韻を丁寧に味わってから豊かに音を感じられる体に感謝をして、次の一口に進みましょう。

●五口目：五感のつながりを感じる

最後の一口は五感すべてを同時に使って味わいましょう。

ここまでイメージしやすいように嗅覚・味覚・触覚・聴覚と、一つずつ順に説明しました。

しかし、実際には**五感はお互いに影響し合って**います。

例えば、湿気を含んでしなしなになったおせんべいは、食べごたえがなかったり、鉄板でお肉や野菜を焼くとき、ジュワジュワと音が聞こえなかったら、いつもより旨味を感じられないかもしれません。

炭酸が抜けたソーダはなんだか甘ったるいし、熱々のコーヒーが冷えると香りが弱くなったように感じるはずです。カラフルなかき氷シロップは実はすべて同じ味とも言われています。

言われてみれば納得、という方も、一度も意識したことがなかった方にとっても、次のワークは楽しいものになると思います。最後の一口は、五感のつながりを改めて体感してみましょう。五つに分けるのではなく、つながっていることに注目して味わうと、頭ではなく体でおいしさを感じられるはずです。

ワーク5・五感をつなげる

じっくりやってみよう

では、最後の一口を口に入れて、噛み始めましょう。
まずは試しに鼻をつまんで食べてみてください。
鼻をふさぐと香りだけでなく、味も感じにくくなりますね。

それから、聴覚と触覚のつながりも感じてみましょう。
歯ざわりや舌ざわりを感じているとき、どんな音が聞こえるでしょうか。
クッキーの「サクサク」という食感なんかは、耳や骨で音としても感じますよね。

食感が香りをふくらませることもありますね。
トロッとした、あるいはサラッとした食感によって、香りや味の濃淡が鮮明に感じられたりするかもしれません。

五感一つずつを独立して観察するステップを経て、五感すべてを同時に受け取ろうとしてみると、普段、なんとなく五感を使っていたときより、繊細で豊かに五感を感じられるのではないでしょうか。

五感を目いっぱい使って味わいきったら、豊かな五感で味わえる体に感謝をして、おしまいにしましょう。

音声ガイドはこちらから

この後はいつも通りのペースで食事をしてください。いつもと違う感覚があるかもしれません。いつものペースで食べつつも、引き続き五感を研ぎ澄ませながら食べられるといいですね。

一口目から五口目まで、五感を深め、つなげてきました。五感が冴えた今の状態で、いつもの道を歩いてみてください。できればスマホやイヤホンは手から離して、ただ五感を意識して歩きます。

いつもの景色が鮮やかに感じられるのではないでしょうか。

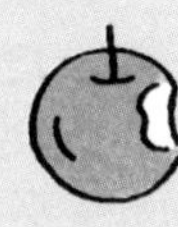

シンプルな食べ物を五感で味わい直そう

野生のぶどうの豊かな味わいに気付く

以前、野生の山ぶどうを木から手でもぎ取って食べたことがあります。

山形の祖父の山で見つけた山ぶどうは、スーパーでよく見るぶどうとは見た目が違い、小豆（あずき）よりやや小さいくらいでした。初めて食べる山ぶどうにドキドキしました。

「どんな味なんだろう？　酸っぱい？　甘い？　硬いかな？　種は入ってるかな？　種がいっぱい入っているかもしれないから、思いっきり噛まない方がいいかな？　皮は飲み込めるかな?」と恐る恐る口に運びました。

食べてみると、すごく酸っぱい房と甘い房があり、味はまちまち。ぷっくりしている実と、ほとんど皮だけの実があって、一粒ずつ種の数も違う。皮の歯ごたえと実のプニュッとした食感のコントラストもおもしろい。皮のまま嗅ぐと香りはあまりしないけれど、長く噛んでいるとどんどん強くなります。

祖父には「普通のぶどうみたいには、おいしくないぞ〜」と言われましたが、ドキドキして食べた山ぶどうは、私にとってはスーパーで買うぶどうよりずっと味わい深い物でした。

五感を使うと素朴な食べ物もおいしく感じることに気が付いたのです。

ただの小松菜でも五感で味わうとときめく

東京に帰ってからも、自分の体でもっと「おいしい」を見つけたいと思い、今までなんとなく食べていた食べ物を「初めて食べるような気持ち」で食べてみました。

例えば、小松菜。醤油も出汁（だし）もかけていないゆでただけの状態です。それまで「小松菜と言えば、淡白な味のシャキッとした緑の野菜」程度の認識でしたが、五感を研ぎ澄まして食べれば、やっぱり山ぶどうのようにいろいろな味わいを見せてくれるのです。

部分によって味のグラデーションを感じます。根に近い部分には甘み、葉の部分には苦みがあります。株によって味も異なり、後味にも個性があります。

他にも、繊維の歯ごたえや繊維の周りのみずみずしさ、口に入れる瞬間のかすかな青々しい香り、噛んでいるときに鼻に上がってくる甘みと渋みが混ざった香りもあります。

「ただの小松菜」と見すごしていたものが、五感で味わうと、ときめく存在に変わりました。

もやしだって、五感をきちんと使えば味わえます。シャキシャキとした音や触感、少し噛むと出てくるみずみずしさや香ばしさに似た苦み。甘みも出てきます。はかなさと味わい深さを感じます。ごはんも、甘み、ふっくら感ともちもち感、鮮やかな感覚で満たされます。

こうして体で味わってみると、インターネットや図鑑を通して知識として理解していても、五感では体験していないことがあると気付きます。情報を得たら、自分の五感で試してみるのがおすすめです。

例えば、大根は根っこの方が辛い、と本やテレビで知ったとして、どれくらい差があるか、どのあたりから味が変わるか、食べて試してみるとか。知識以上に細やかなことが感じられて嬉しいものです。

おいしさを見つけることが喜び

新鮮な気持ちで毎日の食卓を見渡すと、食べ物からいろいろな刺激をもらえるようになります。**与えられたおいしさだけでなく、自分でおいしさを見つける喜び**を覚えると、**いつもの食べ物がときめくものに**なるからです。

ここで、五感を頼りに食べ物と新鮮な気持ちで出会い直すワークをやってみましょう。

子どもが真剣に遊ぶように、おもしろがって取り組んでみてくださいね。

ワーク1～5は「五感を目覚めさせる」をテーマにいつもの料理やお菓子で実践しましたが、次のワーク6「初めての気持ちで食べてみる」は、手で食べられるシンプルな食べ物がおすすめです。

例えば、みかんやりんご、バナナなどの果物や、きゅうりやトマトなどの野菜、焼きいもや枝豆、ナッツや栗、木の実など、素材そのままの形が見える食べ物がいいですね。食べ慣れた食べ物をご用意ください。

ワーク6・初めての気持ちで食べてみる

じっくりやってみよう

この食べ物に初めて出会ったような気持ちで食べてみましょう。
「食べ慣れた食べ物」として見るのではなく、「知らない食べ物」として出会うのが大切です。どんな味なのか、知らないと思ってください。

あなたは、今この食べ物を初めて見ました。
きっと、まずは眺めたくなりますね。
色や質感、ザラザラ感、ツヤツヤ感はどんなふうに目に映りますか？
筋があったり、皮と実の色が違ったり。
不思議な形や柄に気が付くかもしれません。
眺め続けたまま、持ち上げてみましょう。
光にかざしてみるとどうでしょう？

それから手ざわり。手にも質感が伝わりますね。
見た目よりザラッと、あるいはツルッとしていて驚きましたか。
思ったより硬かったり柔らかかったり、重量感があったりするかもしれません。
指で押してもいいですね。
ホロッと崩れたり、ムニュッとしていたり。

口に入れる前に香りも嗅ぎたいですね。
探るようにクンクン嗅いだり、思いっきり一息吸ってみたり。
表と裏で香りが少し違うでしょうか。

口に入れてみましょう。
端っこを小さくかじってみますか。
あるいは、少しなめてみますか。

舌先で確かめて、舌の上で口の中に広がる味や香りを確かめて。
そろりそろりと噛み始めます。
噛むと香りがブワッと口の中と鼻にまで抜けたりしますか。
味がまろやかで安心したり、刺激が強くて驚いたりしたでしょうか。
噛むごとに味は変わりますか。

五感をいっぱいに開いて総動員して、「初めての食べ物」と体で出会いましょう。
食べ終えるときは、豊かな五感と体に感謝をして、にっこり微笑んで、ごちそうさまをしましょう。

音声ガイドはこちらから

五感で味わう喜び、感じられましたか？

いつもの食べ物も、「初めて食べる」と想像すると、五感を頼りに食べ進められたのではないでしょうか。自然と**五感が目覚めて、新しいおいしさや今まで気付かなかった味を見つけられた**かもしれません。このように好奇心の目で食べ物と出会い直してみると、いろいろな刺激もありますね。

五感を頼りにしよう

自分の中の「生命力」に気付く

山の野草のことならなんでも知っている祖父と一緒に山を歩いていたとき、野生の三つ葉を見つけました。すぐ隣には三つ葉によく似た葉っぱも生えていました。実はこの葉には毒があるのですが、区別する方法があります。摘んだときの切れ目の香りです。三つ葉はツーンと鼻に抜ける香り、毒のある葉は苦いようなモヤッとした香りがします。

最初は自信がなかった私も、何度も嗅いでいるうちに自分の鼻で嗅ぎ分けられるようになりました。

祖父はさらに「食べられるかわからない物は、ほんの少しかじってみろ」と言いました。収穫した野草や山菜やきのこを鼻や舌先を使って、本当に食べられるか確認しているうちに「私はまだ野生の勘を失ってない！　**動物としての「生きる力」**を持っている！」と強くなったように感じました（マネしないでください！）。

五感を頼りに食べることで、自分の体への信頼感が高まることを学びました。

お店で簡単に食べる物が手に入る生活では、なかなか体験できないことですよね。

そこで、「五感を頼りに食べる」とはどういう感覚かを体験するために、次のワークでは無意識に食べ物を口に運ぶ食べ方を休んでみてください。いつもの食事も、口に入れる前に五感を使って観察し、体の反応を見ながら食べる。すると、いつもより体をすみずみまで使えているという自信が湧いてきます。

ワーク7・五感で選ぶ

＼じっくりやってみよう／

汁物やおかずをご用意ください。
一汁三菜でもいいですし、おかず一品とみそ汁とごはんだけでも大丈夫です。
お皿を顔に近づけて香りを嗅いでみましょう。
「最初に食べたいのはどれだろう?」とご自分に問いかけます。
ごはん?　お味噌汁?　煮物?　生野菜?　漬物?
目を閉じて全品嗅ぎましょう。
一皿に付き二〜三回、息を深く吸って香りを嗅ぐといいですね。
ピンとくるお皿はありますか。
何回か息を吸い込むと唾液が出てくると思います。

唾液の量もおかずによって違うのではないでしょうか。

香りを嗅ぐと呼吸が深くなる物と、息が浅くなる物があるかもしれません。

食べたいと思って用意したおかずだったけれど、香りを嗅いでみると胸いっぱいということはよくあります。嗅ぐと胸がウッとつまるのは、体は食べたくないという合図かもしれません。

そんなときは無理に食べずに次の食事に回してもいいですね。

次は、触れてみましょう。

器を手で包んだり料理の上に手をかざしたり、顔を近づけたり、自由に触れてみましょう。

直接触(さわ)れる食べ物なら、ぜひ手で触ってみましょう。

温度には、体はどう反応しますか。

手で触(ふ)れると、体が安心する温度はどれくらいでしょう。

あるいはあご先に湯気や冷気が当たって温度を感じたときに、体がゆるむ温度。まるで腕やのどや胸がマッサージをされたようにこわばりがほぐれます。

そして呼吸も深くなります。

……とは言っても、今日のおかずは全部同じくらいの温度で違いが感じにくいかもしれないですね。

その場合は温度で選ぶのは明日にして、今は、手やあご先、鼻先で温度を感じたときに体がどう反応するかを体感してみましょう。

それでは、嗅覚や触覚で選んだ一品を、いよいよ口に入れましょう。

まず、音が聞こえますね。

カリカリ、パリパリ、シャキシャキという音が心地よいとき。

あるいは、音がほとんどしない食べ物の方が体が喜ぶときもありますね。

味に対しても体の反応がありますね。

今日の自分の体にちょうどよいのはどんな味か、どれくらいの濃さか、体の反応を感じながら探してみましょう。

噛むと唾液が出てきたり、口の中がじんわり温かくなるような気がしたり。

あごの噛み締めやおでこの緊張がゆるむ感じはありますか。

もし舌がピリピリしたり、口の中がねっとりしたり、口に長いこと入れておくのが耐えられないと感じるなら、今日の自分の体には、味が強すぎるのかもしれませんね。

よく噛んだら、飲み込みましょう。

飲み込んだ後の香りや後味の心地よさはどうですか。

余韻を味わいきったら、次の一口をいただきましょう。

もう一度すべてのお皿の香りを嗅いで、「二口目はどれを食べたい？」と体に聞きましょう。

嗅ぐ前に決めておくのではなく、今、改めて嗅いでピンと来る物を選びましょう。

二口目はどんな味を選びましたか。

一口目と体の反応はどう違いますか。

三口目からはペースを上げてよいですが、食べる前にひと呼吸おいてどれを食べたいか体に聞きながら食べ進めましょう。

すべてのおかずを一口ずつ一周食べましょう。

それぞれを五感で味わいます。

数口食べた後に、もう一度初めのように一周全品の香りを嗅ぐと体の反応が違うかもしれません。

そして最後の一口。

最後の味はどうでしょうか。

同じおかずも一口目と最後の一口は印象が違ったりするでしょうか。

それでは、ご自分の好奇心と新鮮な目が、豊かな五感を目覚めさせてくれたことにありがとう、と言っておしまいにしましょう。

音声ガイドはこちらから

いかがでしたか?

このワークは、料理や買い物をするときにも応用できます。初めは冷蔵庫や家にある野菜や食品を一つずつ手に持って、香りや触感でどれを料理に使うか決めるところから。慣れてきたら八百屋さんやスーパーでも少し手を触れたり、目を閉じて深呼吸をして、体が求める食材を感じてみてもおもしろいかもしれません。

あるいは、お菓子やお茶を並べて、今日のお菓子とお茶を五感で選んでもいいですね。もしよくわからなかったとしても大丈夫。**眠りきった五感をゆり起こして、頼りにし始めてみることが大切**です。

体への自信を取り戻すと、挑戦したくなる

私の場合は、五感を頼りにできるようになったことで、食卓を離れたところでも変化がありました。体を活かす喜びも感じられるようになったのです。

例えば、以前は「スポーツが趣味な人って生まれつき体力があるんでしょ、羨ましい。私はそうなれない」と諦めていましたが、今は「ヨガしたい！　ランニングしたい！　海で泳ぎたい！　山を歩きたい！」と動きたくてたまりません。

慢性的に運動不足、寝っ転がっているのが大好きで、「なんとなく疲れ」によって

気だるいことが多かったのですが、今は体からエネルギーが湧いてきて、爽やかな気分の日がほとんどです。「運動不足だから動かなきゃ」というモチベーションではなく、勝手に活力がみなぎるような元気さを初めて感じています。

「電気消してくれない?」とか「そこの紙取ってちょうだい」とか小さな頼まれ事も、「はぁ〜、めんどくさいなぁ、ヨッコイショ」ではなく「いいよいいよ」と軽々対応できます。

五感が目覚めるにつれ、自分の体が信じられる存在、頼もしい存在になり、体を使うことが楽しくなったのです。「もっともっと楽しさを見つけよう!」と毎日明るい気持ちで過ごせるようになりました。

ぜひ、自分の体を信じて、これまで体験したことを新たにやり直してみたり、人生がワクワクするような新しいことに挑戦してみてください。

まとめ

- 「おいしい」は慣れた味や調べた情報より五感で探す
- いつもの食事を五感でじっくり味わい直す
- 初めて出会った気持ちで、野菜や果物を食べる
- おかずを並べて、五感で食べる順番を決める
- 食事以外でも、体で楽しさを見つける

プログラム3

おなかで選ぶ

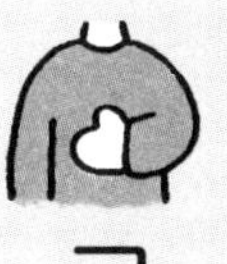

「頭や心で選ぶ」から「おなかで選ぶ」へ

おなかには選ぶ力がある

プログラム3では、プログラム2から引き続き、体で食べるをテーマに、体のより深い部分である「おなか」の感覚に注目します。

ワークショップの参加者の方の中には、「そこまで食べたくないのに、食べすぎてしまう」「イライラして食べてしまう」「健康のためにこれを食べる『べき』という食事メソッドに縛られて疲れた」「ちゃんと食べているはずなのに、なんだか調子が悪い」

といった悩みを抱えている方が多くいます。

これらは「何を食べるか」「いつ食べるか」「どれくらい食べるか」などの食生活の基本を、頭や心で選んでいることが原因で起きるお悩みかもしれません。

Zen Eatingでは、食生活にまつわる選択をおなかで決めることをおすすめしています。**「おなかの声」を聞くことで深い納得感のある選択をする力を取り戻す**ことができます。

おなかには選ぶ力があります。

日本語では大切なことを決めるときに「はらが決まる」「はらを括る」という言い方をしたり、「ああ、そうか」と深く納得したときに「はら落ちする」「腑に落ちる」と言ったりします。頭ではなくて、おなかで納得感がある、フィット感がある、それを表現するのに「はら」を使います。

近年、科学的な見地からも腸は第二の脳と言われています。「理解した」と言うと、頭だけでわかったというニュアンスが強い印象がありませんか。「はら落ちした」と言った方が、頭でわかっただけでなく、物事を自分なりにきちんと消化・吸収した感じがしますよね。

このプログラムでは、「はら感覚」に直結する、食べるという行いを通して、「おなかの声」に耳を傾けます。

「おなかの声」を聞くと、直感力が育つ

「おなかの声」を聞いて選ぶ力は食事の場を離れても私たちを支えてくれます。例えば、誰かの話を聞いて、なんかうさん臭く感じるときや、損得勘定で決めかけているとき。場所や時間を変えておなかにどう感じるか尋ねてみると、頭に浮かんだ決断と違う答えが出ることがあります。

おなかの感覚は直感力とつながっています。

英語では「直感」を意味する言葉に「腸の感覚（ガット・フィーリング gut feeling）」があります。ガットは腸という意味です。

おなかの声を聞くと、新しいアイデアが生まれてくることもあります。最近、一カ月の山ごもりを決めたとき、初めは「クライアントを抱えているのに大丈夫だろうか」と不安でしたが、おなかに手を当てて深呼吸すると「絶対やった方がいい！」と感じました。不安は「アクセスのよいところで働くべき」という頭の声から来ていたのです。結果、山ごもり中に新しいサービスが生まれ、募集すると即時満席に。

「おなかの声」を聞けるようになると、おなかの底から納得感のある選択ができるようになるので、頭や心に惑わされて後悔することも少なくなります。

そして選択したときによくある「なんとなく不安」な気持ちが晴れて、「なんとなく満たされている」という気持ちに変わります。不確実性を楽しむ余裕と柔軟さが生まれ、たとえ選択の結果が予想とは違っても、楽しむことができるようになるはずです。

このプログラムは**食生活のお悩みがある人**はもちろん、**「なにかを選んだ後に後悔することが多い」「選択のために情報を集めても集めても迷いが消えない」「人生の大事な局面で考え込んでしまい、なかなか行動できない」という人にもおすすめ**します。

食欲には三種類ある

Zen Eatingでは、食欲には心由来の食欲、頭由来の食欲、おなか由来の食欲の三種類あると考えています。

一つ目の、心由来の食欲は、ストレスやネガティブな感情が湧いたときや手持ち無沙汰なときに、なにか食べたくなってしまうような食欲です。食べることで感情の起伏をコントロールしようとします。ネガティブな感情や考えを抑えよう、忘れよう、あるいは高揚感を落ち着かせようとして生じることが多いようです。

二つ目の、頭由来の食欲は、何を食べると健康や美容によいか、という情報や知識に基づいています。

ストレスが多い環境では心由来の食欲に、食の選択肢が多すぎる環境では頭由来の食欲に振り回されやすくなります。意志が弱いせいではなく、環境の問題なのです。

こうした環境の中で、**感情のアップダウンにまかせて食べていたり、食にまつわる情報を見聞きしすぎていたりすると、「おなかの声」は心や頭の声にかき消されて**しまいます。「おなかの声」は本来とても小さいものです。耳を傾ける機会がないと、おなかの声を感じ取る「聴力」が退化して聞き取れなくなってしまうのです。

そこで、提案したいのが、三つ目の、おなか由来の食欲に従って食べることです。**おなか由来の食欲は、おなかが空っぽのときに生じる食欲**です。

小学生の頃、給食の前にグーグーおなかが鳴った記憶はありませんか。おなかがグーッと鳴るときは「甘い物が食べたい」「しょっぱい物が食べたい」「なんか口寂しい」といった特定の味への強い執着でもなんとなくの欲求でもなく、「とにかくしっかり食事をしたい！」と全身が求める感覚が強いはずです。そのような感覚を元に、いつ食べるか、どれくらい食べるかを決めてみましょう。

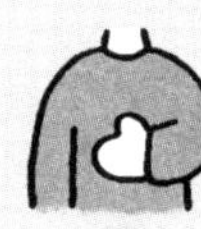

感情で食べていると気付いたら？

食べたところでスッキリしない

私はストレスによるやけ食いが原因で、一年半で八キロ太った経験があります。仕事が大変で、お昼休みに大きなお弁当を二つ食べても足りず、お菓子も食べていました。「仕事中心の生活がストレス」「自分の仕事に意義を感じられない」という理由で、気分は落ち込みがちでした。憂さ晴らしのように食べていたら、食べる量が増えてしまっていました。

みなさんも、こんな経験はないでしょうか。

- **仕事で嫌なことがあったからスナック菓子を食べて忘れようとする**
- **長時間の作業で気が滅入ってきたので甘いお菓子で気分転換**
- **深夜になんとなく口寂しくてラーメンを食べる**
- **気分がよくなるのでアルコール飲料を飲む**
- **おなかがいっぱいでも「甘い物は別腹」とスイーツを食べる**
- **一人の寂しさを食べてしのぐ**

なにか口にしたくてとりあえず家にある物を食べたり、「あ~何か食べたい」と冷蔵庫やお菓子入れを何度もパタパタ開いてしまったり。**おなかは空いていないけれど、沈んだ気分や暴れる感情、退屈さをどうにかしたくて食べ物に手が伸びる**ことってあ

ります よね。

「イライラしたからチョコレート」「疲れたから辛い物」などと、精神安定剤のように甘い物、辛い物、味の濃い物など、刺激の強い物を食べてしまうという相談をよく受けます。

私もチョコレートでイライラをなかったことにしていた時期があります。食べたらイライラがまぎれる気がするのですが、実際は感情に蓋をしただけで心の傷は癒えていなかったので、不満が蓄積して後日爆発していました。刺激の強い物を食べて一時感情をなだめても、嫌な気分はすぐに復活します。そしてまた食べてしまう。こうして悪循環にはまると、どんどん自己嫌悪に陥ってしまいます。

欲望ではなく欲求で食べる

このような感情をなだめるための「食べたい」という欲をZen Eatingでは、

心由来の食欲と呼びます。

このとき感じている「食欲」は「欲求」ではなく「欲望」です。何を食べても満足できない、そこまで食べたくないのに食べすぎてしまう、おいしい物を食べても当たり前に感じてしまうのは、おなかの欲求ではなく、心の欲望が引き起こす食欲で食べているからです。

英語では、本当の空腹のときに感じる食欲をハンガー（hunger ※ハングリーと同じ語源）、それに対して渇望するような食欲をクレイビング（craving）と言います。おなかが空っぽの状態で感じる食欲は欲求（ハンガー）であり、「おなかがいっぱいだけど食べたい」「もう十分味わったけどやめられない」といった食欲は欲望（クレイビング）です。欲望の方は、いわばニセの食欲。

おなかの状態に注目することで、欲求と欲望の違いがわかるようになり、欲望から発生する食欲に振り回されにくくなります。そうなると、暴飲暴食やそれによる食後の倦怠感、ダイエットや健康へのプレッシャーなどが減っていくはずです。

「食べたい」と感じたときに、それは欲求から来ているのか、欲望から来たのかを意識することで、「本当は必要ないのに食べたい」という衝動をコントロールしやすくなります。

月に数回ワークショップにオンラインで参加をしている方で「これまで運動部の高校生みたいなガッツリした食べ物ばかり食べていたけれど、Ｚｅｎ Ｅａｔｉｎｇを継続的に実践し始めてから、梅干しと豆腐にごはんといったシンプルな物が食べたくなって、食べる物が変わった。体に合う物を自分のおなかに届けた結果、食べる量が減った」と言う方がいました。

今は、おなかに聞きながら食べたい物を選ぶようになったので、少量で満足するうえ、少量だからより丁寧に食べるという嬉しい循環ができているそうです。食べたことによる満足感、自分を大事にすることによる満足感の両方を得られているからだと言います。

私も、「おなかの声」を聞きながら食べるようになってからは、**心の穴を埋めるた**

めの消化力を無視した乱暴な食べ方をすることはなくなりました。食べ物との健全な関係を結び直せた感じがしています。

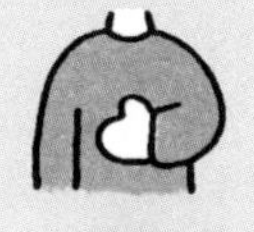

頭で食べていると気付いたら？

「健康にいい」だけで決めていると……

こんなふうに食習慣を決めていませんか？

- **やせるらしいから、炭水化物を抜こう**

◆健康雑誌で見たから、初めに野菜を食べよう
◆ビタミンはいろいろ摂らなきゃ
◆水は多ければ多いほどよい。どんな日も最低二リットル

こうした健康や美容の基準にそって、食べる物や量、タイミングや順番を選ぶとき、その「食べたい」は、頭由来の食欲です。**頭由来の食欲は、社会の常識や他人の価値観、洪水のように押し寄せる健康情報など外部から得た知識**でつくられます。

定期的にワークショップに通う方たちから「栄養学や薬膳、ハーブといろいろ学んで、オーガニックや遺伝子組み換え……と健康情報を知るほどに『食べる物ないじゃん!』と困っている」という話を聞きます。その方たちは健康のためによりよい食べ物を選びたいけど、「間違いなくいい」と言える食べ物はないし、値段が高いと続けにくい。だから、本当に納得できる、幸せな選択をするのが難しいと言います。

健康への意識が高い人や感受性が豊かな人ほど食選びで混乱したり、苦労している

ように感じます。

頭で選ぶと生きづらい？

私も長い間、頭由来の食欲で食べる物を選んでいました。大きな病気を患っていた母が、粗食を始めたことでその症状が改善していったことがきっかけでした。

私も健康的な食事法にこだわるようになり「体に悪い物を食べると病気になるからいい物を選ばなきゃ」と、恐怖心から食べ物を選んでいました。常に健康にいいメソッドを探していて、高校生の頃から周囲から健康オタクと呼ばれるほど。

例えば、一時期、ヴィーガンが健康にいいらしいという情報を得たことがきっかけで、そのメソッドに基づく食生活を実践したことがありました。初めは体が軽く体調がよい気がしたのですが、一年半で、体力も気力も激減して、歩くと息切れがするほどに弱ってしまいました。

それでも、もっとこだわればもっと健康になると思っていました。こだわるあまり、自分がいいと信じているメソッドに合わない食べ物を「悪い」とジャッジしていました。さらには、「へぇ、添加物食べちゃってるんだ〜。体に悪いよ。自分を大切にしない人なんだね」と、何を食べるかでその人をジャッジしていました。当時の私は自分にも他人にも厳しかったのです。

幸せのために健康を求めていたはずが、健康な食べ物に執着していつの間にか幸せから遠ざかっていました。いつも考え抜いて食べていたので、頭も体も硬くなっていました。気づいたら窮屈に、そして生きづらくなっていたのです。

禅の考え方を食に取り入れるようになり、大事な答えは外ではなく自分の内側にあると思うようになってからは、巷に溢れる健康情報ではなく、おなか由来の食欲に従って食べるようになりました。一〜二食抜いたり、モリモリ食べたり。いい食べ物と悪い食べ物というジャッジもしないように心がけています。

栄養学で正しいとされている食事の頻度やバランスとは違うこともありますが、体調も心もどんどん元気になっています。先日、体年齢（基礎代謝を元に算出した、オムロン独自の指標）を測定したら、実際の年齢より八歳若かったくらいです。

健康に関する知識や情報によって不自由になってしまうこともあります。「なるほど。そんなやり方もあるんだ〜」とおもしろがって気軽に試してみる分にはいいと思うのですが、「有名な医者が証明しているから」「論理的に正しいから」「頭で納得感があるから」と安易に取り入れて、体の反応をよく確認せずに続けるのはちょっと待って、と言いたいです。

「おなかの声」の存在を意識することから始める

ワークショップの参加者の方から、「おなかが空いているかに関係なく、習慣やスケジュール優先で食べるタイミングを決めてる感じがしてよくない気がする」と相談を受けることがあります。毎日、**スケジュールをこなすことに精一杯で、食べるタイミングをおなかに確認することがほとんどできていない**と言います。

いつ食べるか、ということについても、現代の生活では頭の声に従うことが多くなりがちです。例えば、毎日の食生活でこんなことはないでしょうか。

- **朝起きたらとりあえず朝食だ、コーヒーだ**
- **午後の打ち合わせが十四時からだから、十三時にはお昼に行っておかなきゃ**
- **十九時だからそろそろ夕飯にしよう**
- **腹ペコなのに会議が続いて水すら取りに行けない**

働いていたり、子育てをしていたり、やることがたくさんあったりすると食事時間を自分のタイミングで決めるのは難しいですよね。私たちの生活は「おなかの声」を聞くには忙しすぎるのかもしれません。

とは言え、仕事をやめよう、働き方を変えよう、なんて難しいことは言いません。

まずは、自分の中に「おなかの声」があることを意識しましょう。「これはおなかの声じゃないな」と気付くだけでも違います。それから小さなことからやってみます。

おやつタイムはおなかのタイミングまで待つとか、休日の朝は本当におなかが空いてから食べるとか、調整しやすいタイミングで実践してみてください。

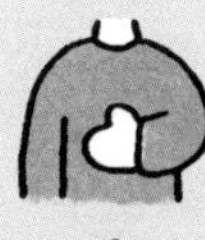

食欲を整理しよう

おなかの声は「内臓全体」が発している声

私たちは、心や頭で選びやすい環境で生活しています。心の声、頭の声を聞きすぎると、自分の本当の望みがわからなくなることがあります。心地よい食べ方とずれている。そう思ったら「おなかの声」を意識してみましょう。

「おなかの声」を聞くとは、「おなかがすいた」「おなかが痛い」「胃の上の方がきりきりする」「おなかの下の方がもぞもぞ、そわそわする」といった、内臓の重さや動き、違和感や痛み、温度などを感じ取ろうとすることです。

ちなみに、日本では古代から「はら」は、胸から腰までを指していました。

本書で「おなかの感覚を感じて」「おなかに手を当てて」などと出てくるときは、胃と腸を中心としつつも、食道なども含め食べることに関わる内臓全体に意識を向けてみてください。

いつもの食欲を疑ってみる

おなかが空いたと思ってすぐにおやつを食べていたけれど、「ひょっとして心の声かな?」と立ち止まって、水を飲んでみたら落ち着いた、ということがあります。

食欲に反射的に対応するのではなく、「おや? ひょっとして頭の声かな? 心の

声かな?」と立ち止まってみましょう。反射的に対応していたときとは違うアプローチが、体の芯、おなかの深いところから浮かんでくるものです。

- **朝食を抜くとよいと本で読んでから正しいと思っていたけれど（頭由来の食欲）、朝食をしっかり食べてみたらなんだか体調がよいかも**
- **昔からの習慣で一日三食がよいと思ってきたけれど（頭由来の食欲）、おなかが空くまで食事を控えてみたら、今の自分には二食の方が調子がよさそう**
- **夜はお酒で気持ちがゆるんで、食べる量が多くなりがちだったけれど（心由来の食欲）、翌朝おなかが重い。体は量を減らしたがっているのかも**
- **疲れの解消には糖分を摂る方法しか知らなかったけれど（頭・心由来の食欲）、腕を上に伸ばしてみたらリフレッシュできて、また仕事に集中できた**

食欲があると感じても、「おなかの声」を聞いたら違う答えが返ってくることは多いです。こんなふうに、予想外の答えがおなかから聞こえてきたらオープンに受け止め、おもしろがって観察してみましょう。

ワーク1・「今、食べるか」おなかに聞く

＼じっくりやってみよう／

まずは、決まった時間にごはんを食べるのではなく、本当におなかが空いたと感じるまで食べるのを休んでみましょう。

なんとなく食べたい気がするときは、目を閉じてゆっくり深呼吸をします。

椅子でも床でもよいです。

くつろげる姿勢で座りましょう。

胃のあたりに両手を置いて、目を閉じて一〜二呼吸待ちます。

おなかの力を抜いて、「今、食べたい?」とおなかに聞きましょう。

おへそのあたりに手を下げて、また二呼吸。

それから、腸のあたりを手で触れて。

深呼吸をしながら、左右の脇腹も順番に。

おなかの空き具合を確かめてみましょう。

おなかがキューッと痛くて苦しい感じがするでしょうか？

おなかが本当に空っぽだ、という感じがするでしょうか？


おなかからなにかしらの反応があれば、「おなか」が食べたいと求めているど考えてよいでしょう。

よくわからなかったら、もう一度目を閉じましょう。おなかの感覚に注目して「本当に食べたい？」とおなかに尋ねます。

急がず「間（ま）」を取っておなか全体に意識を向けることが大切です。

おなかではなく、舌やおでこが反応することがあります。

舌や口で、「甘い物が口に入ったら嬉しいな」と欲求が高まって、うずうずして唾液が出てくるかもしれません。

頭においしい物が次々思い浮かんで、おでこやまぶたの裏は活発に動くけれど、おなかには反応がないかもしれません。

このように反応が舌やおでこからだけで、おなかの反応は鈍いときは、「空腹」ではないと考えてよいでしょう。

その場合、食べたいと感じたのは「空腹」以外に理由があったからではないでしょうか？

例えば、

むしゃくしゃしていた
集中力が切れた
眠気覚ましをしたい
退屈だ、手持ち無沙汰だ
寂しい

嫌なことがあった

このような、「食べたい」に隠れた自分の本音に気付くかもしれません。

また、頭や心に具体的な食べたい物が思い浮かんでいたら、「実際に食べたらおなかはどうなるだろう?」と想像してみましょう。

「後でおなかが張りそう」

「体がだるくなりそう」

「眠くなりそう」

こんな答えが浮かぶときは、おなかにとっては重すぎたり、刺激が強すぎたりするかもしれません。

「甘いお菓子ではなくて、早めに晩ごはんにしよう」

「ジュースじゃなくて香りのよいハーブティーにしよう」

「寒かったから食べようとしたみたい。暖かい服を着よう」など、おなかから違う答えが返ってくるかもしれません。
一歩ずつ、おなかの声を聞けるようになっていきましょう。
では、次のワークに続きます。

ワーク2・食べずに食欲解消

＼ちょっとやってみよう／

ワーク1で、おなかの声は聞こえましたか？
おなか由来の食欲ではないとわかったけれど、やっぱり食べたいと感じている場合には、食べる以外の方法で食欲を解消してみましょう。

日光浴をする
散歩する

音声ガイドはこちらから

歯みがきをする
歌う
踊る
目を閉じて深呼吸をする
窓を開けて換気をする
植物に水をあげる
人に挨拶をする
お部屋を掃除する
近所のゴミ拾いをする

などの方法で心を満たせないでしょうか。
もしお仕事や勉強中にリフレッシュしたいようであれば、

パソコンから離れてストレッチをする

トイレに遠回りで行く
窓の外を見る
という対処が有効かもしれません。
試してみてくださいね。

心由来の食欲に振り回されない爽やかさを体験すると、食べない決断が快適なものになります。食べることで心の憂さ晴らしをするのではなく、落ち着いておなかの食欲（欲求：ハンガー）か心の食欲（欲望：クレイビング）かを静かに観察してみましょう。

おなかの声に耳を傾けたうえで、おなかがしっかり空いていると感じた場合は、ワーク4「食べ物が体の中を通っていく様子を観察する」へ進みましょう。

一方で、食べないで心を満たす方法だけでは欲望としての食欲が収まらない場合もあると思います。心由来の食欲に気付きながらもどうしても食べたいとき、食べる以外の行動で気持ちの切り替えをするのが難しいときは、ワーク3「三口ZenEat·ing」をやってみましょう。**たった三口を丁寧に食べる、あるいはお茶を三口、丁寧に飲むことで気分が切り替わり**ます。

ワークショップに参加される、仕事に家庭に忙しいみなさんのお気に入りのワークです。ぜひ繰り返しやってみてください。

ワーク3・三口ZenEating

＼ちょっとやってみよう／

一口目

目を閉じて、大きくひと呼吸。
口に入れて、味わいます。
目が疲れている方は目を閉じたままがよいですね。
噛みながら顔の力みやあごの噛み締めをほどいて、飲み込んで。

飲み込んだら大きく息を吐くと同時に肩の力を抜きます。

二口目

食べ物や飲み物を鼻に近づけて香りをかぎましょう。

口に入れて、味わいます。

三口目

深呼吸をしながら味わいましょう。

おなかに手を当てて、食べ物が体内に入ってくることを感じます。

三口の丁寧な時間を取ることができたご自分に感謝して飲み込みましょう。

急いで日常に戻らずに、体がゆるんでいたり、いつもより五感やおなかに意識が向いていたりする感覚を日常に持ち帰ってみてくださいね。

おなかの感覚を育てよう

食べ物の通り道を感じる

ではいよいよ、本当におなかが空いているときのワークの実践です。
ここから三つのワークを通して、おなかの感覚を育てるように食べていきましょう。
まずは、食べているときのおなかの動きに注目します。

ワーク4・食べ物が体の中を通っていく様子を観察する

じっくりやってみよう

おなかを締め付ける服を着ている場合、ベルトや服をゆるめましょう。おなかがゆるんで楽に呼吸ができる服装と姿勢であることを確認します。もしできたら、体温と差がある食べ物か飲み物をご用意ください。例えば、やけどしない程度に温かいお味噌汁やスープ、飲み物などです。温かい物が苦手、猫舌で体温と同じくらいの物しか食べられないという人は冷たい物でもよいかもしれません。

では、少し大きめに一口取って口に入れましょう。目を閉じた方がおなかの感覚に集中しやすければ、目を閉じましょう。口に入れたらお箸を置きます。お箸置きを用意できるといいですね。

おなかの声は、心や頭の声より少しゆっくり遅れて聞こえてきます。

お箸を置く、そのひと呼吸でおなかの声が聞きやすくなると思います。


体の内側に意識を全集中させて飲み込みます。

ゴクンと飲み込むとき、のどを通るのがわかりますね。

食道を通って、胸、みぞおち、胃と食べ物や飲み物が降りていきます。

食道を降りるのは、想像よりゆっくりなのではないでしょうか。

初めは十五秒ほど、体をなるべく動かさずにただ体の中に食べ物が落ちていくのを感じましょう。

おなかに食べ物が入ったことを感じますか？

一口分の重量感をおなかにズシンと感じるかもしれません。

ぼんやりとした感覚でも大丈夫。

体の内側の感覚が感じにくい、食道を通る感覚がわからないという場合は、背骨の手前に食道があることを意識して、飲み込んでみてください。手の平を大きく開いて胸に当てると、手にも動きが伝わってくるかもしれません。

「普段ほとんど噛まないで飲み込んでいる」という人がとても多いです。そんな方は、噛んでいる最中から、無意識に少量ずつ飲み込んでしまう傾向があります。

少量ずつ飲み込むと、食道を食べ物が降りる感覚がつかみにくいので、このワークの中では噛み終えてからすべて一緒に飲み込みましょう。もちろん無理のない範囲で。

ゴクンと、のどの音が聞こえそうなくらいしっかり飲み込むと、食べ物が食道を落ちていくのがわかりやすいはずです。

おなかを上下に伸ばし、意識を向けます。足の方と頭の方に向かって引っ張るように真っすぐ伸ばしますが、力みなくです。

体の力を抜いて、飲み込みます。

胃に食べ物が到着して、胃の中が動いたり、胃の中の空気も動くこと胃がふくらむことを感じますか？

おなかが一口分、重くなったこと、消化が始まっておなかの音が鳴ること。このぼんやりとした感覚が、おなかの声です。なにかぼんやりと感じられるまで、次の一口は口に入れずに、待ってみましょう。

何口か食べて、おなかが満たされたら、食べ物を毎日消化吸収してくれるおなかに感謝をして、おしまいにしましょう。

音声ガイドはこちらから

食べ物が体の中を通る感覚

食べているときはお箸を置こう。
そうすると、次の一口ではなくて、
今、口の中にある一口に集中できる。

おなかの感覚や重さはなんとなく感じられましたか？
食べる前と食べた後のおなかの重さや満足感はどうでしたか？

食道を通る感覚は、特に空腹のときの一口目に鮮明に感じやすいので、おなかがペコペコのときにまた試してくださいね。
タイミングや量を調整しやすい、休日に試していただくとよいでしょう。

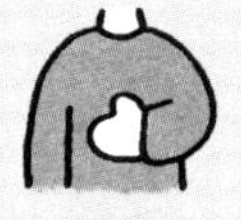

おなかで決めてみよう

おなかに聞きながら食べる

ここからはおなかに相談しながら食べます。

次のワークでは、食べる前と、食べている最中に「どれくらい食べる？」とおなかに聞いておなかで量を決めます。量を調整しやすい自宅での食事から始めるとやりやすいでしょう。

ワーク5・「食べる前」におなかに聞いて量を決める

じっくりやってみよう

盛り付ける前に、今の適量をおなかに聞いてみましょう。

「いつもこのくらい食べているから」と習慣的に盛り付けずに、「どのくらい食べたい？」とおなかに尋ねます。

今おなかにどのくらいのスペースがありますか？

盛り付けようとしていた量は、そのスペースに対してちょうどよい量でしたか？

心や頭の声が盛り付けたいと言った量を全部食べたと想像すると、おなかの重さはどうなりそうでしょうか。

力みを抜いて、おなかの声を聞いてみましょう。

のどから食道、胸、胃、腸と食べ物の通り道全体に優しく触れます。

「おなかで食べる量を決める」ことは、言葉で読んだり聞いたりするだけだとわからなくても、食べ物を目の前にしてやってみるとわかる人がほとんどです。

おなかに手を当てて、深呼吸して待ってみましょう。

よくわからなくても大丈夫です。

もしわからなかったら、とりあえず少なめに。

初めにおなかの声が聞けていないと、箸をつけてから「やっぱり多かった」ということがよく起こります。

足りなかったら後でおかわりしましょう。

ワーク5と6は自宅で自分で盛り付ける場面を想定したワークですが、パーティやビュッフェでも応用できますし、ゆくゆくは、外食や人に料理を振る舞ってもらうときも、おなかにちょうどよい量を伝えられるようになるとよいですね。

ワーク6・「食べながら」おなかに聞いて量を決める

じっくりやってみよう

三〜四口ほど食べたら、一度お箸を置いて、深呼吸をします。おなかに手を当てて、おなかの声に耳を傾けます。

用意した量を自動的に食べきらずに、おなかに「まだ食べますか？　もう十分ですか？」と聞いてみましょう。

深呼吸をしても、胸もおなかも苦しくない程度がちょうどよい量ですね。舌は「まだ食べたい」と欲しているけれど、おなかはいっぱい、ということもありますね。

一口目はすごく幸せな気持ちだったけれど、数口食べるとおなかが重くなることもあると思います。

例えば、クリーミーなお菓子を食べているとき。

一口目はずっと口に入れておきたいけど、数口食べるうちにモッタリしてくるかもしれません。

早く口を通過させて、飲み込みたくなる……なんてことも、ゆっくり食べると気が付けますね。

舌の上に不快な膜が張ったような感じで、胸も重い。

そんな場合も、食べすぎで量を調整するサインかもしれません。

体にほどよい軽さが残るくらいがちょうどいい量ですね。

その後も、三〜四口飲み込むごとに、食べている途中でゆっくり呼吸して、「もう十分ですか?」とおなかに聞きます。

また、食べている最中に、「もったいない」と食べきりたくなることもあるかもしれません。

「もったいない」は頭の声です。無理に食べきる必要はありません。

何口か食べて「もう食べることをあまり楽しめてないな」と感じたら、怖がらずに残して大丈夫。

残った分は次の食事に回しましょう。


食べ終えたら、すぐに立ち上がらず目を閉じて三回深呼吸をしましょう。

おなかの様子に意識を向けて、満腹感を味わいます。

丁寧におなかの声に耳を傾けられたご自分に感謝をして、胸の前で手を合わせてごちそうさまをしましょう。

音声ガイドはこちらから

おなかに聞いて量を決める

盛り付ける前には「今、どのくらい食べる？」、食べているときは「まだ食べますか？」と、おなかに聞いてみよう。

丁寧におなかの声に耳を傾けるうちに、自分のこともよくわかるようになる。

「ありのまま」を味わおう。

おなかの微細な感覚は感じられましたか。

おなかの声を聞いたことで、普段の食後と満たされ具合は違ったりしますか？

おなかの感覚に敏感になっている状態のまま、食後も体のわずかなサインに意識を向けてみてください。おなかに手を当ててもいいですね。

「おなかの声」を聞かずに食べているときは、食べている途中は快調でも、その後一日なんだかおなかが痛いとか張るとか、重いということがあります。あるいは、これ以上食べられないというほどに満腹なのに、なんだか満足しないことも。

本来、自分の体に合う噛み方や食べ方を見極める力が私たちには備わっています。

例えば量に関しても、「残さない」ことに執着して、満腹を超えてまで食べきるよりは、自分のエネルギーにして活かせる、その日の適量を食べるのが健やかだと思います。

食材を少し多めに買ったり、多めに注文したり、多めに盛り付けたりする習慣がある人は、ちょうどよい量を手に入れて、ちょうどよい量を食べる、という意識に変えるきっかけにしてもいいですね。次第に残すことも減っていくはずです。

頭で決められないことを、おなかはバシッと決められます。心で決めると暴走したり、真の望みと違って後悔することもありますが、おなかで決めると落ち着いた納得感が得られます。

ワークを通して、**おなかの感覚を使って食べることでおなかで選ぶ力を活性化**させましょう。忙しいときは食べる手を止めなくても「まだおなかは空いてるかな?」と、おなかに意識を向けるなど短縮して取り入れてもいいですね。

メンタルダウンを防げるように

「おなかの声」を聞いていくと、納得感のある選択ができるのはもちろんですが、**メンタルの調子もよくなり**ます。自分の内側で起こる反応を感じ取れるようになるからです。

私は「おなかの声」を聞けるようになるにしたがって、メンタル不調でダウンしにくくなりました。

例えば、根をつめて仕事をしすぎて心も体も悲鳴をあげているとき。ムチ打って自分を頑張らせてもよい成果を出せないのはわかっていても、「もうちょっと頑張れば打開できる」という気になり、がむしゃらになってしまうことがありました。

でも、そんなとき、本当に必要なのは頑張りではなく、息抜きをして客観的に見ることや、リラックスして凝り固まった頭を柔らかくほぐすことだと、今ではわかります。

心が疲れていると気が付いたら、スマホを置いて散歩に行く、本を持ってカフェにいく、一人で山に行く、人と会って話す、など早めに対策をしています。そのときの疲れの種類や程度に合わせて、必要な息抜きを選ぶようにしています。

自分の外側の声よりも、**自分の内側の声に耳を傾けられると、心身のバランスが取りやすくなります。**おなかの声を聞く食べ方と暮らしを続けるうちに、自分のことをよくわかるようになり、精神が安定して機嫌よくいられる時間も増えるでしょう。

- 本当におなかが空くまで食べるのを休む
- 三口を丁寧に食べて、気分を切り替える
- 食べ物が食道を通る感覚を感じ取る
- 楽しめる量で食べるのをやめる
- 食事以外でも、おなかの声で自分を理解する

プログラム4

食べ物から「エネルギー」をもらう

一口の「奇跡」に気付く

「食べ物＝命」を思い出す

プログラム3までは体の内側に注目してきました。自分の体とつながることで、食べる喜びや自分への信頼、決断力を取り戻してきたと思います。

プログラム4は意識を外に向けます。食べ物とのつながりに思いを馳せ、命や地球とのつながりから安心感を感じてもらえたらと思います。

食べることは様々な「奇跡」が重なってできています。食べ物はもともと命ある生き物だったからです。

食べ物も生きていたという当たり前のことも、忙しく食事をしていると忘れてしまって、「いただきます」にも心がこもっていないということはないでしょうか。

命をいただいているという奇跡に思いを馳せながら、いつも食べている物を「食べ直す」ことで、その命が本来持っている力をもらうことができます。目の前の食べ物のありがたさや、食べられることの幸福も、改めて感じられると思います。

命とつながって元気をもらう。そんな、毎回の食事でエネルギーがみなぎるような食べ方を楽しんでいただけたらと思います。

マインドフルネスを世界で有名にしたベトナム禅僧ティク・ナット・ハンは奇跡について、著書『〈気づき〉の奇跡』（2014年、春秋社）で、水の上を歩くことを奇跡だと人は言うけれど、本当はこの瞬間に地面を歩けていることが一番の奇跡だ、ということを言っています。

「奇跡」というのは、信じられない魔法のようなものではなく、身近なところにあるものなのです。

このプログラムを通して、日常の食事の中で、奇跡を見つけてみましょう。

植物のエネルギーを感じる

突然ですが、種はものすごいエネルギーを持っています。

あるとき、稲が育つ過程で、米粒から透明な芽が出ている写真を見ました。感動して、家にあった玄米を水に浸けて陽に当ててみたところ、三日後、私の家でも米からぴょこんと芽が出ました。

「いつも食べているお米は、種なんだ！」と感じながらお米を食べると、活力がムクムク湧いてきます。ひと粒ひと粒が稲の赤ちゃんだと思って見ると、エナジードリンクよりずっと元気が出てくるように思いました。

それまで日々ごはんをいただけることに感謝はしてはいたものの、あくまで「食料」として食べていました。種としてのエネルギーを感じて初めて、米は食料である以前に、「生き物」「命」だと自覚したのです。

動物と違って、動かない植物は一つの命であると実感しにくいかもしれませんが、よく観察してみると、生命活動の跡だらけです。ワークを通して、野菜やお米などの穀類を「ビタミンや食物繊維を摂取できるサプリ」のような物ではなく、生き物として眺めてみましょう。

ワーク1・野菜の命を感じる

ちょっとやってみよう

野菜をご用意ください。

大根やごぼうやにんじんなどの根菜、レタスやキャベツ、チンゲン菜、白菜などの葉もの類、トマトやナス、きゅうりなどの実を食べる野菜、どんな野菜でも構いません。

断面が見えるように切ったりちぎったりしておくとよいでしょう。


野菜をよく見てみましょう。

根菜には、ひげや筋があったり、皮から実の中心部まで、何層にもなっているのが見えますか。筋は縦にも横にも広がっているでしょうか。


葉っぱには筋や脈がありますね。根っこも付いていますね。

断面から水分が浸み出しているかもしれません。

トマトやナス、きゅうりなど、実を食べる野菜であれば、種が入っていますね。鳥に見つかりやすいように鮮やかな色をしているでしょうか。小さなトゲがあるでしょうか。


優しくなでて触って肌ざわりを確かめてみたり、持ち上げて重みを感じてみたり。葉の表と裏の質感を比べてみたり、根やひげを引っぱってみたり。

指で押して硬さを感じたり、爪で弾いて硬さを確かめたり。

根っこ、葉っぱ、実、と部分ごとに香りを嗅いでみましょう。
表面と断面の香りも嗅ぎ比べて。
皮を爪で少しむいて嗅いでもいいですね。

何もしていないように見える植物ですが、養分や水分を吸収して成長した跡がたくさんありますね。
観察していると、生き物として愛おしくみえてきませんか。

音声ガイドはこちらから

生命としての野菜に触れよう

筋が見えたり、香りがしたり、しっとりしていたり。
生きていた跡は見つかりますか。

「つながり」を取り戻そう

命は怖い？

私は六歳までエジプトに暮らしていました。

日本で生まれ育った方には想像しにくいかもしれませんが、エジプトでお肉屋さんと言えば、牛肉や羊肉が丸ごと天井からぶらぶらと吊り下げられているようなところでした。日本では嗅いだことのないにおいが漂っています。日本に帰国して、パックに入ったお肉を目にしたときに、「お肉のにおいがしなくていいな。かわいそうに感じなくていいな」とほっとした記憶があります。

日本の幼稚園で子どもたちに魚の絵を描かせると、お魚の切り身が泳いでいる様子を描く子がいるそうです。「食卓のお魚は海や川ではこんな形をして泳いでいたんだよ」と魚の絵や写真を見せると、「私のママは生き物を殺してない！」と泣き出すとか。

この話に驚く方もいるかもしれません。でも、私たち大人も、そんな子どもを笑うことはできないのではないでしょうか。

大人でも、パックに入ったお魚しか見たことがないという人は多いものです。刺身が好きでも、魚の目を見るとゾッとするとか、内臓を見ると食べられないとか。血が怖くて自分ではさばけないという人もいるでしょう。動物のお肉なんて、どうやってさばくのか見当も付かないのではないでしょうか。

私たちは普段当たり前のように魚や動物の命をいただいていますが、実際に生き物を「捕食」していると自覚することに対して怖いと感じるものなのです。

一方で、**怖いと感じると同時に、命を実感することは活力につながる**という一面もあります。
エジプトは活気溢れるところでした。現地で出会った人々には不思議な元気があって、みんななにかに焦っている様子がなく、幸せそうでした。帰国して何年経っても、その活気が忘れられず、あのエネルギーや幸福感の秘密は何だったのだろうと考え続けていました。

「未開」の地で、つながりが見えた

そして、再び海外へ行ったとき、「未開」と言われるような地域で、その答えを見つけました。

そこで暮らす人々は**獲る、採る、食べる、土に還る……といった、自分が生きることで発生する、命や地球とのつながりや循環が見えやすい生き方**をしていました。
インドの市場では、お肉屋さんの隣でヤギやニワトリがメェメェ、ケコケコ鳴いています。動物たちは翌日には「お肉」として売られます。タピオカの原料となる芋が一般家庭の裏の荒地に生えていて、葉っぱからどの株が成長して食べ頃かを予想して芋を掘り起こして蒸して食べます。日本人にとってスイーツであるタピオカの原料は、インドの地方の人にとっては、裏庭で取って食べる「芋」なのです。

ラオスの山奥ではネズミの丸焼きが人気でした。お米は竹の筒を火にくべて炊いていましたし、食卓には蓮の葉っぱに包んだおかずが出てきます。

その辺にある物を取って食べたり、自分で処理して食べるなんてグロテスクと思うかもしれません。でも、私はその暮らしの中で、東京では実感がなかった、多くの命に支えられて食事ができていることを肌で感じました。

その生活をしてみると、「食べ物に感謝しなさい」と言われるまでもなく、食べ物をいただけることは心底「有難(ありがた)い」ことだとわかります。**地球に生かされている**という気持ちになりました。

現地の人々と数週間一緒に暮らして、生活に溶け込んだとき、私は一人ではない、いろんな**つながりに支えられているという安心感**に包まれていました。

地球や命とのつながりが見える食べ方をしている人たちには共通点があります。精神的に安定しているのです。地に足が着いていて、焦り知らず。山暮らしで野生のきのこや山菜を採って食べるのが日課な私の祖父も同じです。快活で、幸せそう。東京育ちの私が忘れてしまった、この人たちの人生への安心感。それは地球と自分がつながっているという地球への信頼からくるものなのかもしれません。

つながりを感じる力が育つにつれて、**私がえさをむさぼるような食べ方やポテトチップスのやけ食いをしてしまっていたのは、命や地球との分断から生まれた孤独感や不安によるものだった**と気付きました。

つながりを感じる力は眠っているだけ

命や地球とのつながりと聞いても、実生活と遠く感じるかもしれませんが、ビルに囲まれて、ファストフードが溢れた都会暮らしをする私たちも、つながりを感じる力を持っています。五感やおなかの感覚と同様に、都市生活で眠っているだけなのです。

日本文化に長く接している私たちは、つながりを思い出しやすい環境にいます。日本は民族的に、自分と外界との境目が曖昧だと言われています。家に、外でも内でもない縁側や玄関があったり、IとかYouとか主語を付けなくても文が成り立ったり。私は命や地球とのつながりを感じることも、この曖昧さの延長にあると考えています。

つながる力を新たに身に付けるぞ、と意気込む必要はなく、つながる力はすでに自分の中にあると思うと、ちょっと肩の緊張がほどけませんか。

それから、私たちには想像力があります。梅干しを想像すると唾液が出るように、想像力を使うと、つながりもより感じやすくなります。

この後のワークでは、想像力を使って食べ物とのつながりを感じてみようと提案しています。食べ物は胃や腸に入り、消化・吸収されて、自分の体の一部になります。食事をしながら、**土や太陽が育てた命が、体と一体になる様子に思いを馳せることでも、命や地球とのつながりを感じられます。**

食事を通してつながりを感じる時間は**「自分は地球と一体だ！」と実感することで、安心を得ることができる大切な時間**なのです。

ワーク2・野菜で地球を旅する

＼じっくりやってみよう／

野菜を使った料理を用意してください。
おひたしでも炒め物やみそ汁、サラダでもよいです。
もし用意するのが難しければ、昨日食べた野菜を思い浮かべて、一つ選びましょう。

例として、ほうれん草でやってみましょう。
ほうれん草がどんなところから来たのかを想像することで命とのつながりを感じてみます。

一口いただきます。

味わいながら、想像しましょう。

このほうれん草は、初めはどんなところにいたのでしょうか。

畑が浮かびますか。どんな畑が浮かぶでしょう?

産地の地名を知っている必要はありません。どの土地から来たかではなく、どんなところで育ったか、風景を想像します。

ほうれん草は最初はひと粒の種だったでしょう。種が畑に植えられます。

種からほうれん草になるまでには、どんなことがあったでしょう?

まず、種から小さな芽が出て、育つのに何日かかかります。

雨や土の中の滋養など、自然の力があって芽が出ます。

芽が出たら太陽の力も受け取ります。

地球の外からも恵みをもらっていますね。

たった一皿、一口の中に、何カ月もの時間があります。

人の助けもありますね。

収穫まで、農家の方たちが手をかけてくれます。

ここまで運んでくれた人、売ってくれた人もいます。

よりおいしく食べられるよう、手軽に食べられるように考えてくれた人、料理をしてくれた人もいるかもしれません。

ひと粒の種だったほうれん草が、今目の前に食べ物として存在するまでの旅路。

どのくらいの時間と、どれほどの手間がかかっているでしょうか。

あなたの一口は、地球の営み、人々の営みの結晶です。

奇跡の一口、とも考えられますね。

では、地球や宇宙に支えられている安心感に包まれながら、飲みこみましょう。

ほうれん草の旅。

地球と宇宙の支えでほうれん草ができていることを感じましたね。私たちは、つながい、がりの中でほうれん草をいただいているのです。

「一杯のお茶の中に、森羅万象（宇宙に存在するすべてのもの）がすべて入っている」という禅のエピソードを、ある禅の勉強会で学びました。

私はそれから、お茶や野菜、お米を見るとこの禅の話を思い出して、本当にありがたいものに感じるようになりました。一皿のほうれん草に、お茶碗の中の小さなお米。

ここには**ほうれん草やお米の育った時間とそれらが育つことを助けた自然が入っています。空気も土も雨も、育つ過程で関わった人も、全宇宙が入っている**、そんな視点で見てみると、自分も地球とのつながりや循環の中で生かしてもらっていると思えてきませんか。

次は、食べ物と一緒に時間を越えて旅をしてみましょう。

\じっくりやってみよう/

ワーク3・野菜と時間を旅する

今度はほうれん草と共に、時間をさかのぼってみましょう。
先ほどのワークで、ほうれん草が種から育つところを想像しましたが、その種はどうやってできたのでしょうか？
ほうれん草の種には、お父さんとお母さんがいますね。さらに、そのまたお父さん、お母さんと、どんどんさかのぼっていきましょう。

ほうれん草のお父さん、お母さんは、どこから来たでしょう。

もしかしたら遠いところから来たのではないでしょうか。

虫や鳥、あるいは人間によって移動したり広がったり。


ほうれん草はいつ、どんなきっかけで今の形や味になったのでしょうか。

ひょっとしたら最初は苦くて硬い葉っぱだったかもしれません。

何世代も経ていくうちに今のほうれん草のような甘くて柔らかい葉っぱになったのかもしれません。


目の前のほうれん草は、その個体単体で存在するのではなくて、連綿と続く命の中の存在という感じがしてきませんか。

そして、ほうれん草を初めて見つけて食べた人はどんな人だったのでしょうか。
どんな生活をしていて、どうやって見つけたのでしょうか。
初めて食べてどう感じたでしょうか。
今、目の前にあるほうれん草は奇跡の結晶ですね。
食べ物の命とその祖先に感謝をして、おしまいにしましょう。

音声ガイドはこちらから

感謝の気持ちを言葉にしよう

食前に禅の詩を唱える

ここまで述べてきたことは、実は、禅でも大切にされている食前に唱える詩「五観の偈」で語られています。八〇〇年以上前から禅のお坊さんの間で教えられてきたものです。命に思いを馳せながら、食べる前に声に出して読んでみましょう。

元の文は難しい言い回しもあるので、英語版の翻訳も織り交ぜて、一般の私たちの暮らしに取り入れやすくしています。

ワーク4・食前に、五観の偈を読む

じっくりやってみよう

食事とお箸を並べて、食卓につきます。
胸の前で手を合わせて、声に出して読んでみてください。

1. 目の前の食べ物は、全宇宙、地球、空、数えきれないほどの生き物たち、多くの努力と愛ある働きによってもたらされた恵みです。

2. この食べ物を受けるにふさわしいよう、感謝して食べ、生きることができますように。

3. むさぼりなどの心の働きに気付き、変えていくことができますように。そうした不健全な心を離れて食事に専念できますように。

4. 食事は心身を保つために必要な薬です。味や量にこだわらず、地球を癒やし、守るような食べ方を実践し、慈悲の心を生かすことができますように。

5. 自分の道をまっとうし、命あるものの役に立てるように、この食べ物をいただきます。

唱え終えたら、目を閉じて一度呼吸をして。感謝を込めて食べ始めましょう。

※参考：ティク・ナット・ハン著、島田啓介訳『今このとき、すばらしいこのとき』（2017年、サンガ）著者により一部改編

音声ガイドはこちらから

「命」をいただく挨拶をする

五観の偈はエッセンスがつまっていて、食べることの奇跡を思い出させてくれるものです。ぜひ食事の前に唱えてもらえたらと思います。

ですが、毎食唱えるのは大変かもしれません。**時間がないときは、代わりに「いただきます」をいつもより丁寧に、心を込めて言う**のもいいですね。

「いただきます」の由来には諸説ありますが、私たちのために命を捧げてくれた生き物に対する敬意が込められていると私は思っています。「いただきます」を言うことで、命をいただくありがたさを再確認しているのです。

英語でワークショップを行うときには、いただきますを「謹（つつし）んで受け取ります (I humbly receive.)」と訳して紹介します。「日本語では食べる前に『いただきます』

と言うよ」と教えると「覚えたいからもう一度発音を教えてほしい」とメモを取る人が多くいます。

英語で食前に何か言うとしたら「ボナペティ」です。「お食事楽しんで！」という意味のフランス語ですが、西洋文化圏では一般的な言い回しで、英語話者もよく使います。普段は「ボナペティ」と言っている方たちが「明日から、いただきますって言うね〜」と帰っていく姿を見るたびに、食事に向き合う日本の心の美しさに気付かされます。

食べる前に静かに手を合わせて「いただきます」と言う。それだけでも、いつもの食事が「命や地球とつながる」時間に変わります。

ちょっとやってみよう

ワーク5・いただきますを丁寧に

食事を並べて、座ります。

胸の前で手を合わせて、目を閉じて、深呼吸をして。

命への感謝。

支えてくれた人への感謝。

自分への感謝。


心を込めて「いただきます」と言いましょう。

もし、いただきますと言わずに食べ始めたときは、「ごちそうさま」で同じようにやってみてもよいですね。

食べ終わりは少し気持ちに余裕があるのではないでしょうか。

丁寧にごちそうさまを言ってみましょう。

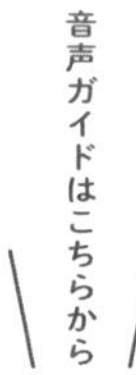

命や地球とつながる言葉

胸の前で手を合わせて、目を閉じて。
感謝を込めて「いただきます」

循環の一部になる幸せ

私たちは野生の生き物のように、自分より強い生き物に食べられる経験をすることがありません。

また、都市の生活では、食べるために自分で生き物を捕りにいくこともないでしょう。命や地球とのつながりを感じにくいのは、食べる・食べられるという循環の中に人間が入り込めなくなっていることも一因かもしれません。

そこで、こんなふうに考えてみてはいかがでしょうか。

命をいただく分、そのエネルギーを他者の役に立てるように意識してみます。直接返せなくても周りの人の幸せを願うことや、今の仕事に精を出すことでも十分です。

それぞれの道で社会にエネルギーを返していくことで、循環の一部になれます。
ローマ時代の貴族の食べ方を「食べるために吐き、吐くために食べている」と批判したセネカという哲学者がいました。セネカは貴族が生きるために食べるのではなく、嗜好（しこう）のため、消費のために食事をしていたことを指摘しました。

食べ物からエネルギーをもらい、なんらかの形で世界に還していくことで、食べ物の命は私たちの中で永遠に生き続けます。それは同時に、私たち自身が命の循環の中で永遠に生き続けることでもあります。

体が健康で長生きできても、多くの物を手に入れても、命や地球とのつながりを感じられない人生は寂しいのではないでしょうか。

まずは、**食べることを通して循環の中にいることを感じることが、豊かな人生**を送るヒントになると思います。ぜひ、この本で得たエネルギーも循環させて、幸せな人生の糧(かて)にしてくださいね。

・野菜を観察して、生きた形跡を見つける
・食べ物が育った環境や風景を想像する
・食べ物の祖先を想像する
・命や地球とのつながりを感じて「いただきます」
・食べ物からもらったエネルギーを他者や社会と循環

プログラム5

「手放し」で自由になる

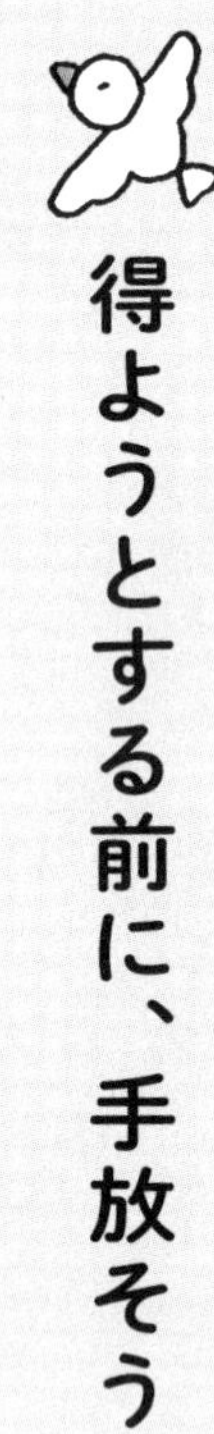

得ようとする前に、手放そう

ワークショップを体験した人の多くが「心が軽くなった、解放された」「生きるのが楽になった」と言います。こうした変化が起きる背景には、禅の要素である「手放し」がＺｅｎ Ｅａｔｉｎｇの中に染み渡っていることが大きいと思います。

私は、坐禅の師匠から「手放し」についてこのようなことを教わりました。

「両手にお手玉を持ってごらん。持ったままだと新しい物が手の中に入らない。お手玉を手放すとなんでも入って来る。空（くう）（あらゆるものが固定的ではないこと。執着を手放すための禅で大事な教え）は、からっぽということではなく、なんでも入るということ。つまり、**手放すことは、可能性を作ること**だよ」と。

私たちは、もっと好きなものを手に入れたら幸せになれる、もっと時間があれば幸せになれるというように、**たくさん手に入れれば幸せになると思いがち**ではないでしょうか。

私が尊敬する禅の師匠たちは「もっともっと」という気持ちがありません。それでいてみんな愉快で人生の一瞬一瞬が楽しそうです。

例えばお坊さんとして地位を積んでいたのに、「家はなくてもよいと気付いて」とトラック一台で移動生活を始めてしまった禅の先生がいます。彼の生き様から、自由な人生は自分の意識でつくれると学びました。

手放すことには「軽さ」という心地よさがあります。心が軽やかになって、自由にのびのびと人生を歩むことができます。寄り道する余裕も出てきます。

さて、最終章となるこのプログラムでは、食べることを通して、無意識の習慣、こだわりや思い込みを手放していきます。プログラム4までいろいろなアプローチで食べ方を深めてきました。五感やおなかに意識を向けて食べることで体の感覚が目覚め、喜びや選択力を取り戻しました。命としての食べ物とのつながりに思いを馳せることで、安心感を手に入れました。プログラム4までしっかり味わいきったので、感度が高まっていたり、満足感があるはずです。

このプログラムのテーマは手放しです。

少し変わったワークも出てきますが、手順や細かい指示を気にしすぎず、自分の創造性や感性に従って冒険してみてくださいね。大事なのは遊び心です。

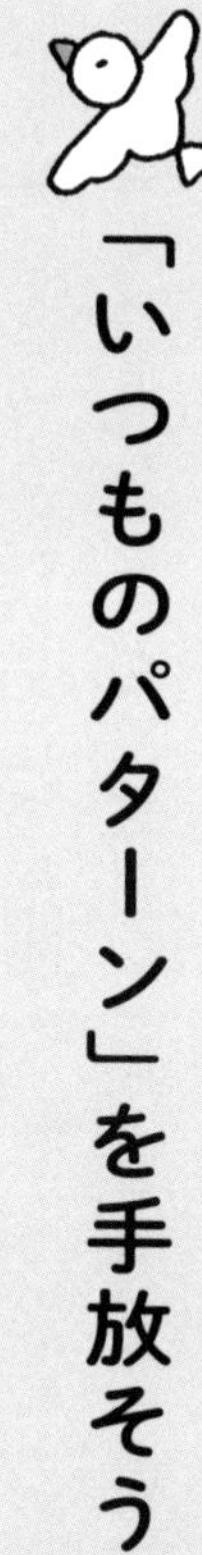

「いつものパターン」を手放そう

子ども心を思い出す

日常生活でパターン化していることはありませんか？

- いつも同じ食材、同じメーカーの食品ばかり買ってしまう
- カレーならこの食器、冷奴はこの食器、と同じ食器をなんとなく選びがち
- 駅まで歩くルートがいつも同じ
- 朝起きたら、用事がなくてもスマホを手に取る

◆帰宅したら、なんとなくテレビをつける
◆悪いことをしていなくても、習慣で「すみません」と言ってしまう

以前の私の生活にも、知らぬ間にできた「いつものパターン」がたくさんありました。

例えば、朝起きたら何も考えずにスマホを開いてメール、LINE、SNSを見ていました。当時は、毎日「なんだか代わり映えがしない」と退屈に感じていて、朝を迎えるのがあまり楽しみではありませんでした。知らないうちに生活が「いつものパターン」にはまってつまらないと感じていたのです。

今は、朝起きてなにも考えずにスマホを触るのはやめました。代わりに、日光浴をしようか、瞑想やヨガをしようか、お白湯を丁寧に沸かすことから始めようか、お白湯の湯呑みはどれにしようか、と毎朝ごくごく小さな挑戦として、なにか新しいことをしています。朝一番に気分がよくなることを選ぶようにしたら、一日をワクワクした気分で始められるようになりました。

「いつものパターン」をほんの少し変えるだけで、新鮮な気分が生活に入ってきます。

子どもの頃、今よりも一日が長く感じた記憶はありませんか？　子どもは体験すること全部が新鮮だから、時間感覚が大人よりも長いと言われています。大人になってからも新しい刺激が多い日やワクワクした日は、心身も頭も活性化して充実した一日に感じますよね。

「童心(どうしん) 是(こ)れ 祖心(そしん)に通ず」という禅語があります。

祖心というのは、禅の偉いお坊さんや悟りを開いた人の心のことでしょう。それが童心、つまり子どもの心と同じであるという意味です。**子どものように、何事にも好奇心を持ち、新鮮な気持ちで世界と出会うことができるのが、禅の境地**なのかもしれません。禅のお坊さんに肌がツヤツヤで目がキラキラして若々しい人が多いのは、こうした遊び心が関係していると私は思っています。

「いつもの」をちょっと変える

子どもの頃の好奇心を発揮して、食卓の「いつものパターン」を手放してみましょう。「こんなふうに食べてみるとどうなるかな?」と遊び心を持って、おもしろがりながら食べてみてくださいね。

ワーク1・普段と違う器で食べてみる

\じっくりやってみよう/

いつも使う器から、パターンの手放しを始めてみましょう。汁物はいつも木製のお椀、蒸し野菜は白いお皿、となんとなく選んでいたりしませんか。

特にワクワクするわけではない、なんとなく無意識で選んでいるとしたら、一度手を止めて、食器棚を「子どもの目」で見直してみましょう。

お気に入りの器ももちろんよいですが、たまには違う物を使ってみてもいいかもしれませんね。


例えば、カレーやハンバーグを盛り付けるとします。

ワンプレートになりがちなお食事ですね。

でも、食器棚を眺めてみてください。

ルーとライスを別々の器に盛り付けてもよいですよね。

サラダとハンバーグと付け合わせをそれぞれ小皿に分けてみてもよいのではないでしょうか。

逆に「小皿でなくてはいけない！」と思っている物だったら、大きなお皿に少しずつのせてみたり、あえてどんぶりのような大きめの器に盛り付けてもよいかもしれません。

「サラダと言えば平皿」とか「和食は和食器じゃなきゃ」とか、思い込みを見つけたら、一度も組み合わせたことのない食器に盛り付けてみても楽しいですね。

いつも陶器のお椀に盛り付けているおかずがあれば、木のお皿に盛り付けてみるとか。


お皿以外にも目を向けてみましょう。

お箸でパスタを食べてもよいですし、うどんやそばをスプーンやフォークで食べてもおもしろいですね。

いつもの食卓を「他の盛付けをしたり、道具を使ったりしてもよいかもしれない」という視点で見てみましょう。


もちろん、食器棚を離れてもいいんです。

笹の葉でおにぎりを包んだり、飾りに紅葉を添えたり。

山で拾った葉っぱをお皿として使ってみたり、川で拾った石におつまみをのせたり、海で拾った貝をソース入れにしてみたり。
どんなふうに食べてもよいと思うと、遊び心がむくむくと湧いてきませんか。

日常生活でもパターンから外れてみる

既存のパターンを外してみると、自分の性格や考え方に関して新しい発見や出会いがあります。生活の中のなんてことのないパターンに少しの変化を取り入れることで、ワクワクするものです。

私は食事で小さなパターンの手放しに慣れるにつれ、生活面で様々なパターンを手放すことも楽しめるようになってきました。「とんでもない」「私なんて」と謙遜する口癖を「〇〇さんに褒めてもらって嬉しい」と素直に喜びを伝えるようになって、人

音声ガイドはこちらから

間関係が明るくなったり、仕事で企画を考えるときは机に座って紙とペンを持って真面目に考えていたのが、散歩をしながらアイディア出しをするようになってスルスルと案が出せたり。

パターンを手放すのは、初めは面倒だったり、不快だったりこわかったりします。ですが、**パターンに囲まれて生活していると、人生を眠ったまま過ごしているようなぼんやり**した感じがしてきてしまうのではないでしょうか。

「主人公」という禅語があります。映画や小説の主役という意味で使われることが多い単語ですね。実は「主人公」はもともとは禅の言葉で「真実の自己」という意味があります。昔の有名な禅僧が、自分に対して「しっかり目を覚ましているか！」と呼びかける意図で「主人公！」と問いかけていたという禅のエピソードがあります。（田上太秀・石井修道『禅の思想辞典』２００８年、東京書籍）

私の場合、主人公としてしっかり目を覚まして生きようとしてみると、変化は不快なものでも怖いものでもなく、活力の元と感じられるようになり、生きやすくなりました。以前よりも考えも行動も柔軟になったと思います。

人生をパターン化して、まんぜんと生きるのではなく、自分の人生の「主人公」になって存分に味わいきる。そんなワクワクした生き方を取り入れてみませんか。

「すぐに答えを出そうとする心」を手放そう

「わからない恐怖症」

このような経験はありませんか？

- ◆新商品を見たら、どんな味がするのか、食べる前に商品説明を読み込んでしまう
- ◆レストランで食事をしたとき、味を分析してレシピを予想してしまう
- ◆初対面の人でも、発言や行動から「こういうタイプの人だろう」と決め付けてしまう
- ◆悩み相談で、頑張って解決策を示そうとしてしまう

私はZen Eatingのワークショップを提供し始めた頃、わからないことに対して、急いで答えを出そうとしていました。例えば、参加者の方から「断れない性格で、自分の意見をハッキリ言えばよかったと後悔することが多い」と相談されたときには、「その悩みは心理学的には……」と一つの側面から考えて解決策を提案してしまったことがありました。

それは**「なるべく早く解決しなくては」という強迫観念から、自分の体験や知識など、限られた「わかっていること」の範囲で答えを出そうとしてしまって**いたからでした。

「わかる」の語源は「分ける」です。私たちは、「分かろう」とするとき、分析、分類、言語化などをして、わかる形に切り分けようとします。

例えば、味わいを言語化することは、五感で体験したことを言葉で分けることです。

味わいを豊かに表現できることは素敵なことですが、言葉にしてしまうことで、言語化できないなにかが抜け落ちてしまうのかもしれません。何の味かわからないけれどおいしい、とただ味わいきることで、その食べ物の味や香り、音、色ツヤ、触感がありのままに鮮やかに認識できることもあります。

すぐに答えを出そうと、必死になって「分ける」を行っていた私を変えてくれたのは、「わからない」を尊ぶ禅の考え方です。

禅には、「頭で分けることをやめてみよう！」という教えがあります（無分別と言います）。「分ける」こと（分別）は、苦しみや対立を生むものだという考えです。物事をどんどん分けていくと、最終的には善悪や賛成反対、損得という対立に行きついてしまいます。そのように黒か白かという基準でしか物事を見られなくなると辛いですね。

私は、禅の「無分別」は、物事を知ろうとするときに**「分ける」という見方を手放して、ありのままを見よう**という教えだと思って人生に活かしています。ありのままを見ようとすると**本来物事はつながっている**んだよということが見えてきます。

「わからない」は創造力につながる

日常でも、「わからないこと」をあえて問いのまま持っておく。安易に既存の枠に当てはめて考えない。「すぐ答えを出したい」という欲求をグッと飲み込んで、問いの周りをグルグル周って待ってみる。

すると、思いもかけないものが生まれることがあります。

急いで分けないことを禅から学んでからは、わからない質問には「おぉ、わからない！ それおもしろいね」と言ってみることにしました。すると、参加者の方も自分で考える時間ができます。対話を重ねると両者とも予想しなかった答えにたどり着いたり、新しい感覚を見つけたりできるのです。

既存の枠組みや、わかる範囲で答えを導き出してしまうと、インターネットで検索すれば出てくるような回答になりがちです。**出来事、物事に対して、分析したり、言**

語化したりする方法に慣れていましたが、ときには丸ごと眺めてみるという態度も大切だったのです。

国際的にご活躍の禅僧、藤田一照さんは、禅の教えを「ネガティブ・ケイパビリティ」と表現します。ネガティブ・ケイパビリティとは、事実や理由を性急に求めず、不確実さや不思議さ、懐疑の中にいられる能力のことで、予測できない時代に再注目されている考え方です。

「わからない」ことは創造性とつながっていると思うと、「わからない」を漂うことが怖くなくなり、世界が広がりました。すぐに答えを出そうと分析してしまっていたときは、自分の色眼鏡やバイアスがかかりやすかったのですが、それに比べると少しだけ「ありのまま世界を見る」ことを意識できるようになった気がします。

分けない豊かさを体験する

プログラム2の五感のワークに取り組む中で、初めは「味があるな〜」とただ観察していたはずが、途中から「この甘みは砂糖でもハチミツでもなく、甘酒だな」とグルメリポーターのように分析していた……なんてことがあったかもしれません。

このように、体でまるっと感じようとしていても、いつの間にか頭でも「わかろう」としてしまうのは自然な反応です。

ここでは、食べることを通して、何事も「わかるのがよいこと」という見方を手放してみましょう。食事の場で、**安心して「わからないまま迎え入れる」を練習**してみてください。

次のワーク2では、二つのステップで「わかろうとする」を手放していきます。ステップが二つあるのは「分ける」ことがダメだから、卒業して次のステップに進むべき、という意味ではありません。ステップ1でわかる喜びと豊かさを体験し、ステップ2でわからない、ありのままを感じる喜びと豊かさを体験しようという提案です。気楽に楽しくやってみてください。

ワーク2・五感を観察して、「わかろうとする」態度を手放す

じっくりやってみよう

ステップ1　感覚を「観察」する

まずはプログラム２「五感で味わう」の復習です。
味覚、嗅覚……と、五感を一つずつ順番に注目して、感覚を観察します。
食べ始めは、味を観察することに集中しましょう。
食べ物を用意します。
一口、食べてみましょう。
どんな味を感じますか。
例えば、「甘い」だったら、どんな甘さでしょうか。
砂糖みたい、果物みたい、あるいはお米や小麦の甘さでしょうか。
甘みの強さはどれくらいでしょう。

甘みのある食べ物を食べているなら、「甘い甘い甘い……」と頭で唱えながら食べてみましょう（この方法を、ラベリングと言います）。

さらに「甘さがある、その奥にうま味もあるかな……」と味の変化をつぶさに観察します。

「甘い、甘い、甘い…うまみ、うまみ……」と頭の中で言葉にしてもよいでしょう。

味の変化を追いかけやすくなるかもしれません。

「甘さ」も一定ではないはずです。

どんな要素で味が成り立っていますか。分析してみてください。

香りについても同じように観察します。

しょうがの香りとか、燻製みたいな香りとか、きのことお味噌が掛け合わさった香りとか、細かく表現してもいいですね。

感じた触感にも「トロトロ」「ザラザラ」「フワフワ」「しっとり」と名前を付けましょう。

プログラム２「五感で味わう」で体験したように、味や香り、食感を細かく感じようとすると、「食べることはこんなに豊かだったのか！」と嬉しくなりますよね。

一方で、ラベリングしよう、**分析しようという気持ちが強くなると、もっと細かく感じようとして、心も、体の姿勢も前のめりに**なってくるのではないでしょうか。

そこで次のステップに移ります。

ステップ2　「観察」を手放す

次は、「わかろう」とする態度を手放していきます。

まず、五感で観察したことを言語化するのを休んでみましょう。

感じたことを「頭で分析」しないで、「体の感覚」のまま「置いておく」意識で食べてみてください。

◆味を、甘い・しょっぱい・酸っぱい・苦い・辛いと分類しない

◆香りに「オレンジのような香り」「ハッカのような香り」と名前を付けない

◆音を「〜に似ている音」と今まで経験したことに寄せて単純化しない

味や香り、その他の五感も「わかろう」とすることを手放してみます。

「味を感じる」「香りを感じる」と感覚のまま待ってみましょう。

肩の力を抜いて。

言語化も分析もしないけれども、感じることには集中します。

わからないまま置いておくと、初めはムズムズするかもしれません。

でも「わからない」ことに馴染(なじ)んでくると、すぐにわかろうとするときとは違う感覚が開きませんか。

目の前のものをありのまま体験できているような感覚。

「きゅうりを噛む音」とラベリングせずに、「ポリポリ」をそのまま聞く。

「甘辛い味付け」とラベリングせずに、「あぁ味を感じているなぁ」とありのまま味わう。

ありのままの味、ありのままの香り、言語化できない感覚まで感じられてきませんか。

分析的に味わったときよりも深くて幅広い豊かさを感じるのではないでしょうか。

自分の体に感謝をして、おしまいにしましょう。

音声ガイドはこちらから

ステップ1：感覚を観察する

五感で受け取った感覚を、分析、分類、言語化する。
できるだけ細かく五感で感じ取ろう。

ステップ2：感覚の観察を手放す

五感で受け取った感覚を、分析、分類、言語化せずに、体の感覚のまま置いておく。
「ありのまま」を味わおう。

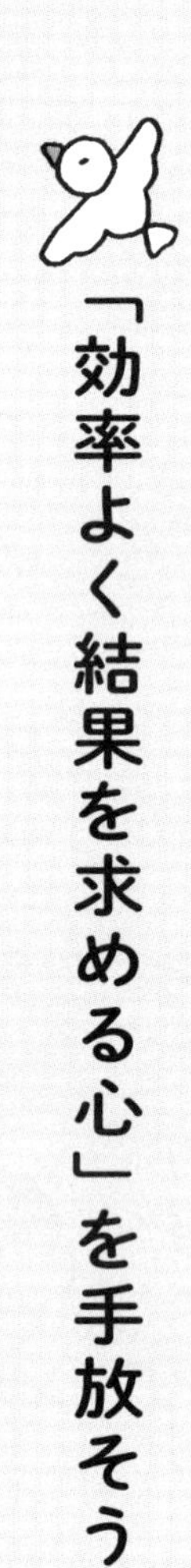

「効率よく結果を求める心」を手放そう

過程を大切にする

私が多忙な会社員の頃、食事は効率よく済ませたいと思っていたことを、前半のプログラムでお話ししました。その頃の食事では器の扱い方も雑でした。

何年か後、禅の心を学んだことで、茶道教室での体験を思い出し、「器を丁寧に扱いたい」と思うようになりました。

茶道教室の初日、私の感想は、「茶道ってやたらと工程が多い」でした。最初にお手本を見せてくれた先生が、道具をあまりに丁寧に扱うので驚いたのです。お抹茶に使うお湯をすくうとき、ひしゃくを右手から左手に移し替えて、斜めにずらして、今度は右手を添えて真横にしていったん止まって……と、作法が細かくありました。二つの動きで済んでしまうことに、十工程もかけたりするのです。「直接お釜にひしゃくを突っ込んで、お湯をくんだら早いのになぁ」なんて思っていました。でも、私には無駄に思えたお茶をたてるまでの過程こそが、茶道では大事なことでした。

茶人の千利休がこんな言葉を残しています。

「茶の湯とは　ただ湯をわかし　茶をたてて　呑む、ただそれだけのものですよ」（鈴木大拙著、北川桃雄訳『禅と日本文化』1964年、岩波新書）

※原文は「茶の湯とは只湯をわかし茶をたてゝ呑むばかりなるものと知るべし」

この言葉は「目の前の行いにただ心を向けよう」という教えです。

茶道でお湯をすくうのに十工程もかけるのは、道具を持つ動きそのものが茶道の目的だから。おいしいお茶はあくまで副産物とも言えます。茶道の本質は、お茶を立てる過程に丁寧に取り組むことなのです。

過程を味わう心は、禅から来る精神性です。禅では、最短で結果を得ることではなく、過程の一歩一歩を味わう心を大切にします。

私たちは人生を必死に生きる中で、結果重視で動いてしまうことが多い気がします。空腹を満たすために加工食品でパパッと食事を済ませたり、効率よく栄養を吸収するためにサプリと完全食を主食にしたり、成果や損得を考えて、効率のよい作業方法を選んだり。勉強も最短でテストの点数を上げようとあれこれ工夫をした記憶があるのではないでしょうか。それらの習慣が重なって、私たちはなんだかいつも急いでいます。

効率ばかり追いかけると、人生の多くの場面が短縮したいことばかりに思えてきます。そうなると、**人生は「こなす」もの**になってしまいます。なんだか窮屈ですね。

心ここにあらずでチャチャッと終わらせるのではなく、一つ一つの動作に心を向けて行うことが禅では重視されます。現代の**忙しい私たちが幸せになる鍵は、効率よく結果を出す方に努力することではなく、過程を味わうこと**だと私は思います。そうすると肩の力が抜けて、人生が一瞬一瞬を愛おしんで味わうものになっていくはずです。

感謝を込めて器に触れる

Ｚｅｎ Ｅａｔｉｎｇでは、過程を味わう禅の境地を、食べるときに器を丁寧に扱うことで体感できると考えています。Ｚｅｎ Ｅａｔｉｎｇの参加者は、器に触れることに没頭できたとき「無心の気分を味わえて気持ちよかった」と言います。

ですが「丁寧に触れよう」と意識しすぎると、力んでしまったり、気合いが入りすぎて逆に疲れてしまいます。なので、まずは器のすごいところを探すことから始めましょう。「結果として丁寧に触れていた」となるといいですね。

ワーク3・食器のすごいところを探す

ちょっとやってみよう

まずは、普段使っている食器を頭に思い浮かべましょう。お茶椀、マグカップ、コップなど、手に持ったり置いたりしやすい物を想像してみてください。

「器ってすごいなぁ」と思えるところはありますか。シンプルなことでいいので、探してみましょう。

例えば、食べやすい、持ちやすい、かわいい、食べ物がおいしそうに見えるなどでしょうか。

このまま続けてワーク4をやってもよいでしょう。

音声ガイドはこちらから

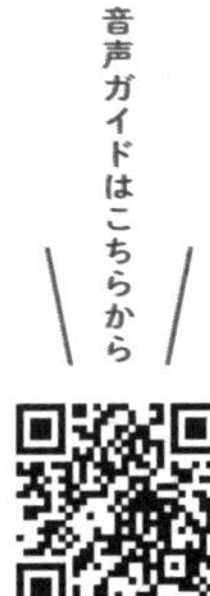

ワーク4・器に丁寧に触れてすごいところを探す

じっくりやってみよう

次に、普段使っている器を実際に用意しましょう。食べ物や飲み物が入っていると理想的ですが、なにも入っていない器でも大丈夫です。

まずは触れずに観察してみましょう。

前から、上から、横から。あらゆる方向から眺めて。

次に机に置いたままなるべく優しく両手で包むように触れて、持ち上げずに質感を感じます。

器が手にじんわりと馴染むまで、動かずに触れていましょう。初めて器を見たり触れたりしたような気持ちで。

実際に器を見たり触ったりして、「器ってすごいなぁ」と思えるところを新たに探してみましょう。

器があるから汁物を食べられる
持ちやすい絶妙な形をしている
触り心地がよい
熱い物を入れても手で持てる厚みになっている
倒れにくい、ほどよい重さがある
隣のおかずに味が移らない材質でできている

実際に触れてみると、器のすごいところがたくさん見つかりますね。
「器ってすごいなぁ」と感じたら、持ち上げて中の物をいただきます。
一口食べたら、一度器を置きましょう。
また丁寧に器を持ち上げて、一口飲んだり食べたりします。
どうでしょう?
毎日当たり前のように使っている器が尊いものに思えてくるでしょうか。

嬉しくなって微笑みが浮かんでくるでしょうか。
焦らず、子どもの頃の「宝探し」のようなつもりでやってみましょう。

器に丁寧に触れる

いろんな方向から器を眺めよう。
「すごいなぁ」と声に出してもよい。

音声ガイドはこちらから

ワーク5・器の音に注目して、心を静かにする

じっくりやってみよう

次は、器を使っているときの音を聞いてみましょう。
器をご用意ください。
ワーク4と同じ器で大丈夫です。中身が入っているとよいでしょう。
まずは、なにも考えずに器を持ち上げて、置いてみましょう。
どんな音がしましたか？
何を感じますか？
なにも考えずに、と言われて本当になにも考えないのは難しいですよね。
無意識にいつもと違う置き方をしていたとしたら、どのように違ったでしょうか？

次に、音を立てないように意識して器を置いてみましょう。

静かに置くと、置いたときに手に伝わる振動も柔らかくなりましたね。

動きはどう変化したでしょうか。

先ほどより、ゆっくりになったのではないでしょうか。

自然と両手で包んだり、小指を器の底に添えて、器が直接机に当たらないように工夫したりしたかもしれませんね。

体にしっくりくる置き方を探すような気持ちで、何度か持ち上げたり置いたりを繰り返してみてください。

体にはどんな感覚がありますか？

心にはどんな反応がありますか？


何口かいただいて、中身が少なくなったら、今度はあえて音を立てて置いてみましょう。

できるだけ雑に荒々しく。

そのとき、心の動きに注目しながら、何度か持ち上げたり置いたりを、繰り返してみてください。

音を立てない置き方と、音を立てる置き方とで気持ちに変化はありますか。不快感や罪悪感があるでしょうか。

イライラしていたわけでもなかったのに、怒りっぽい自分の一面が出てきた人もいるかもしれません。

投げやりな動作に引っ張られるように、心もなんだか投げやりになってくるかもしれません。

普段も音を立てて置いているかもしれないという気付きがあるかもしれません。

どんな心の反応があるかを観察しましょう。

では、それらの心の波を持ったまま、再び丁寧な置き方に戻ります。

次の一口は、やさ〜しく持ち上げていただいてみましょう。
また音を立てないように器を置きます。
何度か丁寧に器を上げ下げしてみてください。
目を閉じてもいいですね。
心のざわつきや体の緊張感は落ち着いてきましたか？
実際に手を動かして、心の反応を比べると変化がはっきりわかると思います。
心が静かになったら、器に感謝をしておしまいにしましょう。

このワークは器だけでなく、お箸やスプーンなどもできます。お箸の場合は、お箸置きを、洋食器の場合はカトラリー置きを用意して、音を立てずに置いてみましょう。
一回の食事の間に一回丁寧に置いてみるだけでも心が静かになります。職場やカフェで、器やお箸を扱う手に意識を向けて、器や道具の置き方を気にかけてみるのでも

音声ガイドはこちらから

よいでしょう。

掃除も待ち時間も、心を静かにする時間にできる

食事以外でも、こんな過程の味わい方をしてみてはいかがでしょう。

◆掃除を楽しむ

掃除を面倒に感じることがあったら、「きれいにする」という結果を一度手放します。拭いたり磨いたりする過程に幸せを見つけようという意識で掃除をしてみましょう。

- 食器のおかげでごはんを食べられることに感謝の気持ちを持って洗う
- 自分を支えてくれる床に感謝の気持ちを持って床を拭く
- ゴミを集めてくれる掃除機に感謝の気持ちをもって掃除機をかける

禅寺では、「ほこりが落ちているから掃除をするのではない。汚れていてもいなくても心を磨くために床を磨く」と言うそうです。私は過程を味わえるようになってから、掃除に没頭することで、心が静かになるのが嬉しくて掃除をするようになりました。

●待ち時間を楽しむ

「過程が楽しい」と思えるようになると、レジや信号、タクシーの待ち時間も楽になります。例えば、待ち時間にこんなことを意識してはいかがでしょうか。

- 呼吸に意識を向ける
- 待つときの姿勢や立ち方を観察して、整える
- レジの人、タクシーの運転手さん、行き交う人一人ひとりに「ありがとう」と心の中でつぶやく

私は昔から待ち時間が大嫌いで、「待たされている」と感じるたびに落胆し、心が

乱れて疲れていました。掃除や待ち時間が嫌いだったのは、「今、私は時間（命）を無駄に使っているんじゃないか？　幸せへ遠回りしてるんじゃないか？」という不安からでした。

ですが待ち時間を大切にしてみると、イライラがすっと消えてなくなりました。今は、**過程を味わうことはその瞬間の小さな幸せをしっかり見つける視点を持つこと**だと思っています。

禅僧のティク・ナット・ハンは「幸せを未来にばかりみると、今に幸せがあることを見逃してしまう（著者訳）」と言います。

面倒に感じていた家事、イライラの原因だった待ち時間。捉え方が変化したことで、どちらも嬉しく幸せな時間に変わりました。単調で退屈に思える過程こそ大切にしてみましょう。きっと人生が豊かになりますよ。

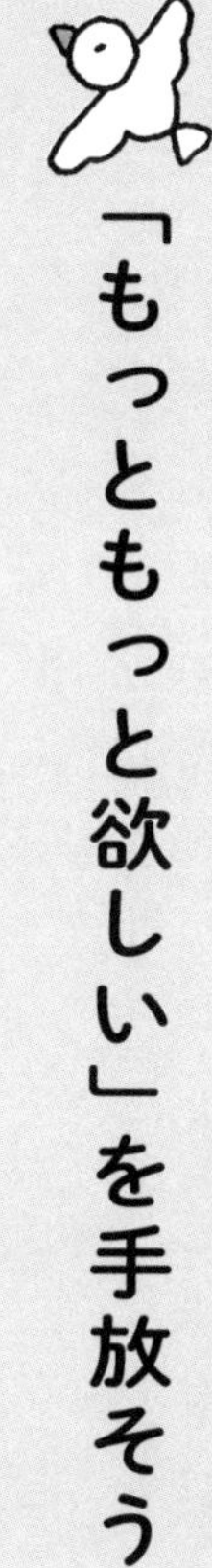

「もっともっと欲しい」を手放そう

足りないマインド

仕事や勉強に励む中でこんな気持ちになったことはないですか？

- ◆もっと資格を取れれば、自信が付きそうな気がする
- ◆仕事でバリバリ活躍している同世代の話を聞き、自分と比べて落ち込む
- ◆成果を出していない自分に対してダメ出しをしてしまう
- ◆やらなくてはいけないことや達成目標に追われている感じがする

- **いつも時間が足りない**
- **何もしない時間を後ろめたく感じる**

　私は幸せになるためには「もっと働かなきゃ、もっと成長しなきゃ、もっと成果を出さなきゃ、新しいスキルも学ばなきゃ」と考えていました。いつも何かを捕まえることばかりに気持ちが集中していたように思います。

「私は足りてないからもっと頑張れ」と自分にプレッシャーをかけていましたが、モチベーションが上がるのは一時的です。無理矢理頑張っても疲れてしまって続かない。そんな自分にイライラして苦しんでいました。空回りして結果はともなわないことも多く、しまいには鬱（うつ）状態のようになっていました。

　ところが、今から紹介する「植物的な生き方」に考え方を転換したら、天地がひっくり返ったように、生きるのが楽になりました。**力むことなく、恵みに支えられる人生に好転**しました。今では「もっともっと」と焦る心の状態を「足りないマインド」

と呼んでかわいがることができるようになりました。

あなたがもし頑張り屋さんだったら（現代を生きるほとんどの人が頑張っています！）**生き方に「植物らしさ」を取り入れて、ひたすら追いかける人生から、静かに恵みを受け取る人生へ舵を切ってみませんか。**

植物の受容的な生き方に習う

「迎え入れる」。それは植物らしい受容的な生き方です。

私たち動物は文字通り動く存在、移動する生物です。生きるために動いて食べ物を手に入れ、咀嚼（そしゃく）し、消化して栄養として体内に取り入れます。一方、植物は栄養を得るために移動することはありません。種が落ちた場所から一生動かないのに、ぐんぐん成長します。葉を広げ、太陽や雨を受けて、根を張って、地中の栄養を取り込みます。晴れた日には太陽の光を、雨の日には水分を、ためらいなく吸収します。

やってきた栄養は遠慮なく、どんどん受け取ります。かといって必要以上に貯め込むことはせず、足りなくてもどこかに取りに行ったりはしません。美しい花を咲かせて昆虫や動物に生殖を手伝ってもらいます。

地球に身を委ねて、ひたすら恵みを受け取る生き方です。そんな姿を思うと、植物は禅っぽいなと感じます。


現代人の私たちはあくせくしています。雨が降るまで待つことができず、歩き回って「より多くの水」「もっとおいしい水」を探し求めて、結局は手に入らない。手に入らないことを誰かのせいにしてしまう。そういうことが多いのではないでしょうか。

地球に身を委ねて恵みを待つことができないのは、自分一人の力で頑張ることが癖になっているからです。

本来、**地球は恵みで満ち溢れています。追いかけないと恵みは手に入らないという「足りないマインド」を手放して、やってくる恵みを迎え入れて**みましょう。

力みを抜くと、必要な恵みがやってくる

恵みがやってくるのは、迎え入れる準備ができているときです。恵みを追いかけ続けて力んだ心と体から、恵みを迎え入れるゆるやかな心と体へ移行することが大切です。

食事中に植物になりきることで、**「歩き回って栄養を取りに行かなくても必要な栄養分はすべて取り込める」という意識**が私の中で育ちました。

すると、食卓を離れた生き方全般にも「植物らしさ」が染み出してきたのです。力みや頑張りを手放すと、恵みを迎え入れる感覚が発揮でき、望みがどんどん叶うようになりました。平日の昼間から山歩きに行ったり、年に数回デジタルデトックスとして外界からの連絡を一切受けずに自分と向き合う時間を取ったり、自分にとって一番贅沢な時間の過ごし方ができています。

ときには、やってくる恵みが自分が欲しいものではないこともあります。それでも

ありがたくいただきます。そうしていると、新しい視野が開けたり、自分が欲しい気がしていたものが他人への憧れだったと気が付いたり、別のルートから意外な方法で本当の欲しいものがやってきたりすることもありました。

幸せになるのに、力みは必要ありません。大事なのは、やってくる恵みを迎え入れるよう、心と体の準備をすることと、受け取り上手になることです。

植物になりきってみる

次は、食べている野菜やお米になりきるワークを行います。**植物になりきることで、植物のように恵みを迎え入れる感覚を体験**しましょう。

「植物になりきる」と言われると、なんだか子どもの遊びみたいと思った方もいるかもしれません。ですが、意外とバカにできないものです。

なぜ「なりきる」とよいのでしょうか。ヒントは禅と関係の深い、俳句にありました。

松尾芭蕉は、俳句を詠む対象になりきることを弟子に教え、「松のことは松に習え、竹のことは竹に習え」と言いました（『赤冊子』。土芳の著した江戸時代中期の俳諧論で、松尾芭蕉の俳句に対する姿勢を知る手がかりとして重要な書）。

「習え」というのは、そのものに入る、つまり一体化することです。松をテーマに俳句を詠むなら松になりきる、竹のことを詠むなら竹になりきります。松についての知識を得たり、ただ外から観察するだけでは、松のエネルギーを自分の内側で感じることはできないのです。松になりきることで、松らしさや松のエネルギーが自分の内部に宿り、情緒を感じ、自然に句ができる、という禅の境地を芭蕉は勧めました。

また、中国の太極拳（たいきょくけん）の一種に、トラやサル、クマ、鳥などの動物になりきる形意拳というものがあります。私は以前この形意拳に挑戦したことがあり、トラになりきって「ガオー！」とポーズを取った後は体温が上がっただけでなく、ムクムクと勇気が湧いた気がしました。トラという動物が持つエネルギーを実感できたのかもしれません。

ここでは、芭蕉さんにならって、食べながら植物になりきってみましょう。

ワーク6・植物になりきる

＼じっくりやってみよう／

お米や野菜など植物性の食べ物を用意してください。

深呼吸をしてから、いつもより少しゆっくり食べ始めます。

食べながら目を閉じて、おへその少し下に、その植物の種があるとイメージしてみましょう。

種の姿を知らなくても大丈夫。種っぽい物を想像してください。葉や根がどんな形か、どんなふうに実が付くのか、正しさにはこだわらず自由に想像します。

種から根がぴょこん、芽がぴょこんと出ます。

おへその下から坐骨を通って根が伸びます。芽は背骨や腹筋のあたりを通って、スーッと上へ伸びます。

養分や水分を土からいただいてすくすくと伸びていきます。

根は下に横に、芽は上に、どんどん伸びます。

根と芽が伸びるにしたがって、体も上下にのびのびと広がっていきます。

土から出たら、肩や腕、頭を通って枝がぐんぐん伸びます。太陽に向かって大きく葉を広げます。

太陽の光を感じますか？

葉っぱを広げて葉に注がれる光や空気を迎え入れましょう。


少しずつ曇ってきて、ぽつぽつ雨が降ってきました。

葉や枝に落ちる水滴を感じますか？

根のあたりが湿ってきたのを感じますか？

根から水分を吸い上げましょう。


大地とつながって、しっかりと支えられています。枝や葉をのびのびと広げて太陽や空気、天からの恵みも受け取っています。遠慮もせず、貯め込みすぎもせず、生きるのにちょうどよい量を迎え入れます。

花が咲いて、実がなって、実の中には種ができてきますね。熟して、鳥や虫が食べにやって来ます。種は鳥や虫のおなかの中で遠くまで旅に出るかもしれません。

種の旅はどこへ行くのでしょうか。フンとなってどこかに落ちる、あるいは実が熟しきって、近くの地面に落ちるでしょうか。

その種から再び芽と根が出て次の世代が育ちますね。

地球の循環の中で、恵みを迎え入れること、そして返していくこと、どちらも力みなく自然と起こっています。

植物らしさ、植物のエネルギーが全身に巡ったところで、のびのびした気持ちでごちそうさまをしましょう。

植物になりきる

おへそに種があって、根は下に力強く、芽は上にのびのびと広がることを想像して座ってみよう。根は足を通り越して地面深くに伸び、枝は肩や頭を通り越して大きく広がるようなイメージ。

音声ガイドはこちらから

心と体が軽やかになった感じはあるでしょうか。

このまま植物のようなのびやかさを持って日常に戻ってもよいですし、次のワーク7を続けてやってもよいでしょう。

本書を通して何度か五感を使うワークを行ってきましたが、次のワークでは植物の在り方にならって、五感を「取りに行く」ことを手放して、受動的に迎え入れてみましょう。

ワーク7・五感を「受動的に」受け取る

＼じっくりやってみよう／

食べ物を用意して、楽に座ります。

体の力を抜きましょう。

視覚から始めます。

目は情報を捕まえるために、常に能動的に働いています。

試しに今、まぶたやまゆげを手で軽く触れると、筋肉がこわばっていませんか。

こわばっていたとしたら、スマホを見るときの情報を取りに行く能動的な目の使い方が体に染み付いているからかもしれません。

目が疲れていたり、眉間にしわが寄っていたら、おでこやこめかみを軽くマッサージします。

そして、おでこやまぶたに一度ギュッと力を入れて目をつぶりましょう。

力を抜いて、時計回り、反時計回りに眼球を動かします。時計の秒針が一周するように360度眼球を回し、反対回しも一周します。

目の奥の筋肉をゆるめて、目をゆっくり開けます。

首が前に出ていたら、一度首を回して、耳と肩のラインが揃うように心地よく姿勢を整えて。

準備ができたら、食べ物を眺めましょう。

スマホを見るときのように、情報を取りに行くジロッとした目の使い方ではなく、目に入ってくるものを迎え入れるような、ふんわりした目の使い方です。

遠くの山の景色を見渡したり水平線に沈む夕日を眺めていたりするような、全体が見えている感覚です。

見る、ではなく、見えている。

目の筋肉をゆるめて、視界を広げ、お皿やテーブルまで受動的に眺めてみてください。

次に味覚です。

食べ物を口に入れます。

味という情報をできるだけ精密にキャッチしようと、能動的に味覚を使うと、舌やのどの筋肉が緊張するはずです。体全体も硬くなりますね。

今は、筋肉をゆるめて味を迎え入れましょう。

もっとたくさん、もっとしっかり情報を得ようと力まないで、今すでに味を感じられていることを満喫しましょう。

嗅覚、聴覚も同じです。香りや音を捕まえようとして鼻や耳を緊張させるのではなく、自然に鼻や耳に入ってくるものを迎え入れます。力まずに、聞こえてくる音や漂ってくる香りをゆるやかに迎え入れます。

では、自分の体に感謝をしておしまいにしましょう。

音声ガイドはこちらから

力みのある五感

普段は五感を使うとき、積極的に「情報を得よう！」として力が入りやすい。特に視覚は緊張しがち。

やわらかい五感

目・耳・鼻・口の周りをゆるめよう。
情報をつかみ取るような五感の使い方ではなく、柔らかく迎え入れることができる。

意識は五感に集中しているけれども、捕まえにいくのではなく、迎え入れる。

こうした五感の使い方は、坐禅のときにも指導されます。もっとたくさん得ようと力むのではなく、今すでに与えられている豊かな恵みを満喫すること。もしかしたらこれが禅で言う「足るを知る」なのかもしれませんね。

「足るを知る」は欲張るな、という意味ではなく、与えられた恵みを心から「ありがたいなぁ」と味わいきることなのではないでしょうか。

「味わおう、嗅ごう、聴こう、見よう、感じよう」とする力みを手放して受動的に五感を迎え入れること、何事も**力みを手放して迎え入れることで、禅の安らぎの境地**に近付けるのかもしれません。

- 子どものような好奇心で自由に食器を選ぶ
- 頭で分析せず、感覚のまま五感を受け取る
- 器をそっと置いて、ほほえむ
- 植物になりきって恵みを迎え入れる
- 目・耳・鼻・口の筋肉をゆるめて味わう

おまけのワーク

本書をご購入いただいたみなさまへ、特別に音声のみのワークを用意しました。その日の体や心の状態にあわせて、実践してみてください。食事時間やティータイムにZen Eatingを思い出すサポートとしてご活用いただければ幸いです。

QRコードをクリックすると音声ガイドの一覧が表示されます。

朝の Zen Eating

Zen Eatingから始まる一日は、恵みに満ちた気分で過ごせます。のびのびと姿勢を整えて、最後は「よい一日を」で締めくくりましょう。

昼の Zen Eating

忙しい一日の真ん中に、一旦立ち止まって「調うモード」に切り替えましょう。「はぁ～～」と息を長く吐いて、五感に意識を向けると、エネルギーを取り戻せます。

夜の Zen Eating

今日もお疲れ様。一日の終わりに頭をからっぽにして、リセットしましょう。夕飯が癒しと安らぎのひとときになります。

お茶・コーヒーを味わう Zen Eating

頭を使う考え事やお仕事、忙しいモードで行う家事や育児の途中に。頭も心も、ほんの二分間のZen Eatingで切り替えましょう。大事な本番前や落ち込んでいるとき、やる気が出ないとき、緊張を和らげたいときにもおすすめです。

食べ終わりの Zen Eating

バタバタしていて「いただきます」すら言わずに食べ始めてしまったとき。空腹が落ち着いてきたところで静かなひとときを味わいましょう。

寝る前のお白湯 Zen Eating

明日の準備を終えたら、照明を落としてゆったり飲み物を飲みましょう。頑張った一日は考え事が頭を巡ったり、気分が高ぶったりしますが、五感やおなかに意識を向けるうちに落ち着いてきます。

プレゼントを受け取る

エピローグ

生きる喜びを味わう

私は人生をかけて「生きる喜びを味わいつくす」ことを、探究してきました。

きっかけは、父をヘリコプターの事故で失った経験でした。当時十四歳の私にとって、仲のよかった父の死は目覚めの鐘、wake up callでした。それから、後悔のないように毎日を生きたいと思いながらも、どうしたらよいのかわからず命いっぱい生きるためのヒントを探していました。

翌年十五歳の夏、京都の禅寺で「吾唯、足るを知る」と書かれた石を見つけ、目が離せなくなりました。

当時はそれが禅の教えとは知らなかったのですが、その石が「失ったものではなくて、今、手にしているものに感謝することが幸せへの道だ」と教えてくれた感じがして、心がスーッと明るくなりました。

その後、幸せになるために、世界中を旅したり、インドで電気も水道もない生活をしたり、料理の時短レシピを開発したり、厳しい食事制限をしたりしていた私は、食べる瞑想に出会ってハッとしました。幸せを見つける力が冬眠したように働かなくなっていただけで、幸せは目の前にあったことに気が付いたからです。

体のすべてを使って深く味わうこと、食べ物を消化できる健康な体に感謝すること、命をいただけていることに感謝すること。これこそ私が求め続けてきた「生きる喜びを味わう」ことであり、命いっぱい生きることでした。

Ｚｅｎ Ｅａｔｉｎｇは私にとって「生きる喜びを味わう道」です。みなさんにとっても、そうなっていたら嬉しいです。

これまで体験してくださったすべての方へ。みなさんとの対話によって、Ｚｅｎ Ｅａｔｉｎｇは進化・深化することができました。

いつも応援してくれている家族と仲間のみんなへ。温かく心強いサポーターに恵まれて幸せです。

笠間書院編集者の大原さん、山口さん、初めての執筆でご心配をおかけしてばかりでしたが、粘り強い伴走をありがとうございます。ワークショップで提供してきたＺｅｎ Ｅａｔｉｎｇを、本という形で共有することは私にとって新たな挑戦でした。素晴らしい本に仕上げてくださり感謝申し上げます。

読者のあなたへ。この本を通してご縁ができて嬉しいです。あなたの食事が、一日が、そして人生が喜びに溢れたものになりますように。

本書では私やワークショップ参加者の方の体験をたくさん知っていただいたので、今度はあなたのＺｅｎ Ｅａｔｉｎｇ体験談を聞かせてください。

ＳＮＳで @zeneatingmomo をタグ付けいただいた投稿は全部読ませていただきます。

ワークショップでは「今日この場に自分を連れてきてくれたご自分と、Ｚｅｎ Ｅａｔｉｎｇの実践を可能にしてくれた環境、周りの支えに感謝をしよう」と伝えています。

最後に、本書を開いてくれたあなた自身に感謝をしてみてはいかがでしょう。

そして、日常にもＺｅｎ Ｅａｔｉｎｇを取り入れて、幸せな人生を歩んでいきましょう！

ももえ

ももえ

Zen Eating代表、ウェルビーイング顧問、中央大学客員研究員。
1991年生まれ。東京、エジプト、山形育ち。ライフミッションは、命いっぱい生きること。中央大学で比較思想、比較幸福、禅と日本文化などを研究。大学卒業後、大手リゾートに入社。ウェルネス事業に携わる。退職後、2年間インドに移住。国立のヨガの学校へ通い、瞑想の先生の家に住み込みで瞑想修行を行う。帰国後は、食に関する事業を行うIT企業で勤務する傍ら、ヘルシー和食の外国人向け料理教室やカフェの経営に携わる。その後、瞑想を土台にした「心がととのう幸せな食べ方（Zen Eating®）」を編み出し、起業。忙しく働く現代人に合わせた、食べる瞑想で年間1000名の心の安らぎに貢献し、「食べ方が変化するだけでなく、人生が劇的に変わる」と評判に。個人向けにオンラインで始めたZen Eatingのワークショップは、口コミだけで国内外30カ国に顧客を広げ、アメリカ、イギリス、シンガポールを始めとしたグローバル企業や、国内外の大手企業、大学、国際カンファレンスからも実施依頼があり、幅広い支持を得ている。また、ウェルビーイングやマインドフルネスをテーマにした講演、研修、セミナーにも取り組んでいる。

Zen Eating ホームページ
https://zen-eating.com/ja/

Instagram/Twitter/Facebook/LinkedIn
@zeneatingmomo

食べる瞑想 Zen Eating のすすめ
世界が認めた幸せな食べ方

令和5年（2023）2月5日　初版第1刷発行
著者　ももえ
イラスト　鈴木衣津子
発行者　池田圭子
発行所　笠間書院
〒101-0064　東京都千代田区神田猿楽町 2-2-3
電話：03-3295-1331　FAX：03-3294-0996
https://kasamashoin.jp/
mail:info@kasamashoin.co.jp
ISBN 978-4-305-70980-6　C0030

アートディレクション　細山田光宣
装幀・デザイン　鈴木沙季（細山田デザイン事務所）
本文組版　キャップス
印刷／製本　モリモト印刷
乱丁・落丁本はお取り替えいたします。

ポリ
ポリ

いただきます

モグ
モグ

しょうがの香り

ポリ
ポリ

モグ